KB171578

출판 학회 눈길

성숙함과 미성숙함의 경계에 놓인 20대 초반의 청년이 바라본 세상을 쓰고자 하여, 2021년 3월에 경희대학교 국어국문학과 출판 학회 눈길을 신설했다. 눈길은 사람들의 눈길을 끄는 책을 출판하자는 의미와 한 송이의 눈꽃이 겹겹이 쌓여 아름다운 눈길을 만들 듯, 눈꽃 같은 책을 출판으로 아름답게 피워 내자는 다짐을 담고 있다.

독립 문예지 <눈길 4호: 숨바꼭질>의 출판에는 강다윤, 강민숙, 김다인, 김예린, 김지은, 김창우, 김현진, 송현아, 심재용, 이유진, 이지은, 이태웅, 임세연, 장비슬, 장예서, 정해인, 정혜원, 정혜인, 한서희, 허정인이 참여했다.

들어가며

삶은 어찌 보면 까마득한 시간의 집합이지만, 무색무취하여 알아차리는 것은 불가능에 가깝다. 시간이 흐른다고 생각하는 것도 다른 누군가의 정의이자 속임수일 뿐이다. 그렇기에 우리는 투명한 시간 속에서 불투명한 사람으로 산다. 살아남기 위해 강점은 드러내고, 약점은 숨긴다. 심지어는 혼자만 보는 일기장에도 거짓을 적는다. 솔직해지는 것은 정말이지 어려운 일이라서 누군가에게 간절히 방법을 묻고 싶은 때가 오기도 한다.

이에 대해 정답을 말해 줄 사람은 없으나, 명심할 점 정도는 제시해 줄 수 있다. 때때로 약함은 강함을 이긴다는 것이다. 그 무엇도 대비할 수 없는 세상 속에서, 나 자신을 잃지 않기 위해 여태 숨겨 온 것을 찾을 필요가 있다. 눈에 띄지 않는 것을 발견하고 사유하는 것이다. 삶이라는 무대 속에서 우리는 무엇을 찾을 수 있는가. 이제는 직접 술래가 될 차례다.

출판 학회 눈길 차장 강민숙

목차

Poem

강민숙

김창우

김현진

이태웅

Fiction

Essay

Review

시
Poem

강민숙

김창우

김현진

이태웅

강민숙

<경이>
<은이>
<백스페이스>
<미음>

김창우

<말은 숨었고 나는 술래야>
<마음을 반죽했다>
<우체국 바캉스>
<행복 숨바꼭질>

김현진

<눈과 구 이후의 세계>
<바늘 실종 신고>
<자리 비움>
<헤르츠의 직진>

이태웅

<검은 항해>
<랜턴을 잃어버렸어요>
<파도라고 불리던 것>
<놀이터 개>

경이

강민숙

쇼스타코비치의 손짓에 맞춰 들어선다
팔분음표와 가온음자리표와 디미누엔도가 미로처럼 얽혀
도무지 찾을 수 없는 문을 통과해야만 갈 수 있는 방 안으로

진동의 여운이 이드를 옭아맨 족쇄를 느릿하게 벗긴다 그럼 틈을 비집고 뺨을 들이밀어야 하지 경박스러울수록 좋아 광대 언저리의 살점을 조금 내어 주는 것으로 자격을 얻어 이윽고 첫발을 내디딘다 파리한 건 여기에 안 어울리잖아 차라리
비켜선 당신네 전부를 환영해요
벗겨 선 당신도요
키 득 키 득

섬짓한 구석이 있는 음성은 경이에게서 발생하고
점과 선과 평면과 차원의 얽힘을 누구보다 명료하고 단정하게 설명해 낼 수 있는 유일의 존재 십수 세기 동안 당신들을 무지로 인도한 이성의 매듭을 허무하리만치 손쉽게 해독하는 경이 현실을 지탱하고 있는 초현실의 진공 속 성간 물질이 누구의 반항흔을 본떠 생성되었는지 깨달을 필요가 있어 우리는 전부 경이의 명석함에 수혜를 입고 살아간다

초라하게 굽은 경이의 등에 빼곡한 점자로 저장된 전진 방법

하나, 이방의 노랑을 미처 숨기지 못한 볼자국을 찾는 것은 어렵지 않지?
두울, 노오란 부정을 뒤집어쓴 특정 산소를 면밀히 살필 것
세엣, 경련하며 방울지는 날숨을 빛과 전자가 투과되지 않는 용기에 생포할 것
네엣, 들숨의 발작이 잦아들기 전, 겉껍질을 벗겨 얼룩을 들여다볼 것
다섯, 연소되며 발버둥치는 얼룩을 동정하지 말 것

목제 탁자 위에서 겨우 몇 톨의 소음을 내며 원을 흉내 내는 레코드플레이어는 여전히 쇼스타코비치의 프렐류드를 왼다 중얼중얼 응 나도 반가워 기분이 어때 남의 목을 비튼 소감 말야

경이는 주사위 놀이를 하지 않아
그래서 호흡 하나에도 굴러가는 움직임을 모른다
경이가 내 등에 진정 볼을 맞대었는지 알 수 없는 것처럼

실은 나를 끌어안아 줬을 거야

경이의 애처로운 시신경이 내게 말을 걸어 왔거든
나를 해방시켜 줘 내가 왜 피를 뚝뚝 흘리며 서 있어

경이의 걸음과 걸음이 섬광이 되어 제로섬 유일의 광원이 되고 공음跫音이 더디게 번뜩일 때면 함께 마음을 졸이며 테트라포드 무덤을 거닐 경이를 기다린다

혹시라도 발을 헛디뎌 얼룩으로 저물어서
날숨의 가닥으로 번져 흩어질까 봐

너는 내일이 온다고 어떻게 확신해?

은이

강민숙

변하지 않는 천성은 없어 나는 그걸 너무 일찍 깨달은 열여덟이었고
숨을 꾹 참아도 내일은 온다

천성
하늘 천 성품 성 나는 천성이라는 단어를 발음할 때면 혀를 굴려 한자까지 적어 보게 된다 가로로 쭉 뻗은 한자와 세로로 쭉 뻗은 한자가 상통할 수 없다는 걸 깨닫게 하거든 은아 너와 내가 말이야 다가갈수록 누구 하나를 관통해야 한다

네가 입에 달고 살던 말을 기억해
늘 손에 공사판 아저씨들이 피우다 남은 몽당연필 같은 돛대를 쥐고
서툴게 한 모금 한 모금 빨아 대며 종알대는 모습은
떠오를 수가 없던 시절이 있다고 했어
귀를 기울이지 않아도 옆에서 트럭이 지나가도
모두가 들을 수 있는 웃음을 가졌었다고 했지
너는 그런 시절에 사는 내가 부럽다고 했다

여기저기 덕지덕지 실컷

생채기가 난 손으로 내 옷가지를 더듬더듬 짚어 보며
이런 건 얼마 줘야 살 수 있냐 네 또래가 할 법한 질문을 던졌다가
언젠가는 꼭 살 거야 이런 가난이 비참하지 않은 날이 올 거야
다짐하듯 혼자 구시렁댔잖아

걱정 없이 세상에 다니던 너는 늘 꾸벅 졸기만을 잘하는 학생이었고 점심을 먹고 식곤증이 밀려오기 전 들었던 호통만이 기억에 남아 있다고 했지 너에게 기억을 남겨 준 친구가 인간 본성에 대해 물었던 거 사람은 왜 악할까 그럼 너는 고개를 푹 떨구고 잠시 고민하다 들리지도 않게 아주 작은 목소리로 대답했다

내 주변은 전부 네 눈동자에서 반사된 것들이었는데

너는 늘 그랬던 것처럼 아주 작고 잔잔하게 고개를 숙여 입술에 귓가를 대야 들을 수 있는 희미한 웃음소리를 먼지가 가득한 공사장을 돌아다니며 떨이처럼 남은 담배를 주워서 피우지 생채기가 가득한 손등을 벅벅 긁다 이제 막 딱지가 앉은 상처에 또다시 피를 본다 다만 너는 웃는다

이것 좀 봐 나 살아 있어

인간은 본성부터 악하다고 생각하는 네가 내 천성은 선하다고 믿어 주어서 웃는 네가 뱉은 담배 연기가 내 손등에 배어 있다

은아
나는 여전히 나에게 오는
너를 품에 안은 자세로
잠을 자는 추악한 놈이지만

백스페이스

강민숙

언제는 얇고 무딘 제 흉곽을 바라보고는 자상한 곳으로 거처를 옮겨야지 했습니다
붕새처럼 뛰어 허공에 안착해요
육 개월을 해양 위의 첩자처럼 보냅니다
여기저기를 쏘다니며 내생의 터를 알아보지요

바버샵에서 단장을 새로 한 후
까스 활명수를 한 병 쥐고
배를 타고 사설의 터로 가요

이내 이제 막 연소된 잿덩이를 하나 꺼내 탁탁 털어 봅니다, 누린내 나는 종이에서 흐르는 놋쇠 같은 외로움이
이 책을 뒤로 숨어 물러나게 해요

하지만 이곳엔 백스페이스 키가 없습니다
오로지 엔터, 엔터, 엔터
달칵, 달칵, 달칵

평가장에 도착했습니다, 나를 조금 읊으며 잠깐 기웃거리기로 했어요 박차를 가하는 그들의 행위는 절박했으니까요 재앙을 가득

머금은 채 소실점을 향해 달려가고 있었죠 아직 허파가 납작하지 않아서 비록 흡착된 원념을 정화할 수 없었지만 어쩌구

나는 매를 맞기 시작하네요

그들은 함축적인 건 열받아요, 비유법이 난잡하군요, 수미상관을 지워 버립시다 같은 논평을 해 대고선

차곡차곡 겹쳐 둔 여생을 뒤적거리지요

이런 근력 없는 구문을 목전에 둔 채로 책만 읽은 건 무식한 짓이라 비난하는 것입니다

어쩌면 도망쳐 버리고 싶었을지도 모르겠습니다

느꼈기 때문이에요

이제는 글을 씀에도 불행 자격증이 필요한 것입니다

이른바 텍스트로의 변태입니다

목을 축이는 출판사만 존재하고 독자는 없는 간과한 아픔과 동정의 무지와 덧칠한 가난과 점령된 순수는 전부 일방적인 폭행일까요?

아! 저곳입니다 이곳이 나의 미타찰인지는 알 길 없으나 유복한 자의 새 작업실이 될 터입니다

백스페이스라 부르는 것에 큰 의도는 내재되지 않습니다 기득권에 대한 예우입니다 물러나 주는 것입니다
글을 쓸 때는 가난이 권력이더군요

장자는 미개한 사회를 아름답다 일컫는다
내가 떠나온 그곳의 슬로건은 문명에게서 비켜선 불온의 주거지인 불행곶이지만
소재가 소재이니 그곳에는 사랑이, 경질될 위기일지라도 사랑이 있는걸요
부럽기도 합니다 나아가니 사랑도 해 보겠지요

아주머니가 속살거립니다

얘,
인간사에 사랑이 어디 있겠니
우리 모두 난도질당한 채 착륙했는데!

이곳에서마저 치근대는 눈알들 어째서 시에는 실족사가 포함되어야 합니까, 물어도 대답 없는 날풀들 나는 투레질하듯 시에게 울부짖네요
마음 놓고 사랑할 수 있는 곳은 없나요?

편안하고 우수에 짙은 질문에 쳇 베이커가 수풀에서 뛰쳐나와 말을 거네요! 팔다리가 자유롭지 않지만 마침내 웃고 있습니다

그러니 그저 즐겨요, 비-밥-밥-밥-밥
시끄러워서 들리지 않아요! Bop-bop-bop-b

누리세요! 비-
이곳을요! 밥-밥-밥-
풍족해요!

그저, 모든 것을 잊고 즐겨요!
암스테르담의 유리창을 조심하고요

미음

강민숙

무력한 비명을 들었다 경탄한 신들은 바스러지는 박자 속에서 발소리의 유서를 합창했다 직선과 직선이 맞물린 목소리였다 태어난 적 없는 발음들이 소란스러워지고 암암하게 막히는 소리는 이곳에 머문다

분란한 틈을 타 너덜너덜해진 음파가 잇새를 침범한다 아닌 척 불사르는 것만 같은 감각에 혀가 뭉툭해졌지만

전하지 못한 마음
늘어나 버린 미움
떠나기 싫은 믿음
보내고 싶던 메일
남기고 갔던 매일
나에게 주던 무언
사랑을 줘서 미안

입안에서 한없이 뛰어다녔다 방치된 바다에서 자맥질하는 천사처럼 날갯짓할 때마다 눈앞이 어두워지고 환해지고

서서히 점멸하는 무용 속에 구천이 펼쳐진다

들여다보면 망명 중인 어린 얼굴의 아이가 뒤집혀 있다 불행을 이마에 꿴 채 강한 기류를 낙하하고 있는

쉿 함구해야 해 이건 비밀이야

말은 숨었고 나는 술래야

김창우

엄마가 나를 미워한다고 생각한 적이 있다
모두가 나를 미워한다고 생각한 적이 있다

정말 아꼈던 친구가 등굣길에 나를 버려 둔 적이 있다
부재중 전화 3통,
전화를 받지 않아 삐 소리 후 음성사서함으로 연결됩니다
개중 삐 소리만 담담히 남아 비처럼 내려서
혼자가 되어 버린 길이 적셔진 일이 있다

나의 연골은 성장통을 견디다 못해
입을 틀어막기에 이르렀고

엄마에게 모든 것을 말할 수는 없었다 엄마는 내가 가만히 냅둬도 모든 것을 척척 해내는 줄로만 알았고 그것은 엄마에게 있어 무관심에 대한 하나의 면죄부였다 면죄부를 가진 사람을 이길 수는 없는 법이라

엄마가 나를 제대로 보고 구해 주기를 바랐던 적이 있다

마침내 나를 옭아매던 연골 따위를 뜯어내어

모든 걸 솔직하게 말했던 적도 있다

나는 울었는데
엄마는 울지 않았다

나는 입을 닫았다
성장통은 다 커서도 끊이질 않았고

모두가 나를 미워했다
엄마마저 나를 미워했다

마음을 반죽했다

김창우

마음을 반죽했다
조금은 시간을 들여야 한다
빈틈이 있어서는 안 된다 산소가 들어가면 굳기에
웃음을 줄여야 한다 소금은 한 꼬집

오븐을 예열했다
5주 정도 기다린다 따듯하게 달궈질 때까지
단맛은 적다
당연하게도 언어를 잃은 맛은 언제나 쓰디쓰다

오븐에 넣고, 스위치는 180도
부풀어 오를 때까지 기다린다 이 과정이 가장 괴롭다
소다에 의존하지 않는다 효모라면 걱정하지 않는다
자주 쳐다봐서도 안 된다 금방이라도 꺼내고 싶어질 테니

따스한 말처럼 따끈한 빵이다
애써 맛을 느끼지 않을 필요도 없다
쓴 맛이 가시도록 기다리면 그만이다 빵을 삼킨다
억지로 꿀떡꿀떡 삼킨다 물도 우유도 없이

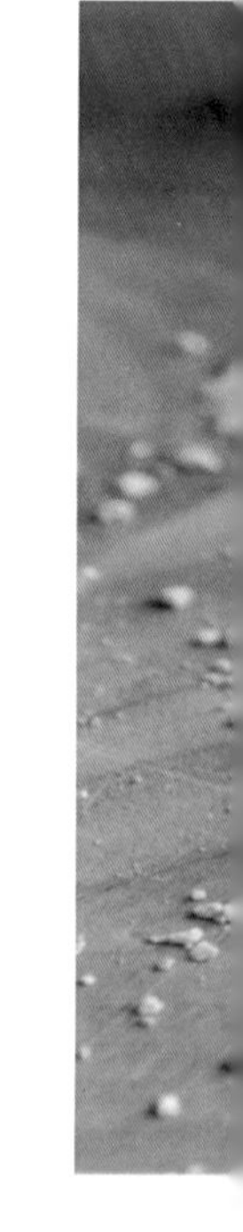

좋아한다는 말이
뭐 그렇게 어려워서

우체국 바캉스

김창우

쓰인 마음들이 많아서
발송과 도착은 다른 날이 되었다

그리고 그 간극은 종종
우리를 다른 시간대로 이끌었다

편지를 쓰는 이유는 단순했다
간극은 사실을 비밀스럽게 만들곤 했으니까

비밀을 나누는 게 신뢰의 의미랬다
그게 왜 신뢰야
내 비밀을 네가 알수록
너와 나의 경계가 흐려지기만 했다

그러다 문득
우체부가 실종되었다

잉크가 말도 안 되게 불어나
검은색이 되어 버린 바다에서 허우적거린다고 했다

그저께 부친 편지엔 못 할 말이 많아
빨간색 기호가 가득했다
그런 색의 구명튜브를 던졌다

안녕하세요, 우체부입니다
다름이 아니고 조금은 쉬다 가겠습니다
당신은 오늘에 머물러 있는데
상대방만 다른 시간대에 사는 것은
아무래도 불합리한 일입니다
그런 이유로 말이죠,
당분간 간극을 지우겠습니다
이제 하고픈 말을 마음껏 하시길 바랍니다

라고 적힌 쪽지와 함께 반송되었다

오늘의 네가 오늘의 나의 앞에 있었고
나는 말할 준비를 했다

너무 오래 쥐어서
얼음이 녹기 시작한 커피가

꼭 우체부가 빠졌다는 바다 같았다

행복 숨바꼭질

김창우

물로 된 피와
근육
섬유질,
그 사이사이
둥그렇게
변했네

항상 궁금했어
너는 왜 그리도 모질었을까

구체가 맨들한 이유는
어느 것보다 많이 깎였기 때문이었고

무딘 이유는
굳은살이 박혀서였다고

대신에 나온 말은

못나게 태어나서 미안해
내가 나라서 미안해뿐이네

너의 말은 손톱 같아서
길어질수록 살에 박혔고

필수불가결하게도
나는 그걸 깎고 앉았다

기숙사 방 창문에는
도무지 달빛이 들어오지 않았고

아쉽게도
나는 그런 둥근 말들이
듣고 싶었어

눈과 구 이후의 세계

김현진

눈에서 출발한 언어가 아이를 파먹고 있었다 이상한 일처럼 적어도 그렇게 보였다

시각에 대한 의심
아이는 글을 다 떼지 못했다 파먹으면 안 되는데
분명하게 아이는 먹혔다

사기꾼의 잘못 거울을 돌아보는 사기 당한 사람 김이 피어오르는데 늘어나는 화재 신고 건수 오인 사격 당한 이백 년 된 나무 한 걸음마다 번역되어야 하는 언어는 매번 낯설게

숨바꼭질의 해석은 싸움
아이를 먹은. 뒷말을 찾아야 한다, 라고 생각했다
소식을 전해 들은 불특정 다수는 폭력적 단어를 구타했고
아이는 그들에게도 먹혔다

아이 아이 아이
단어 사이의 불완전함을 생각하며

눈의 언어는 빈 공간이 많았다

설명되지 않은 공간에 숨어 들어간 문장들
아이는 그곳에 살며 공포를 앓았다
찾는다는 일방적이어서

눈은 구로 퇴화했다
머리 어딘가 움푹 들어간 곳에 머물러서 그저 굴러가는
아무것도 찾을 수 없는

아이의 세계는 영원히 해석되지 못한 채

바늘 실종 신고

김현진

유해 물질을 안고 자야만 살았다 환자의 습하고 붉은 눈을 닮은

인형보다는 바늘을 안는 편이 익숙한 처지
그래도 남용을 방지하기 위해 필요한 서랍의 메모
하루 하나만 안고 잘 것

서랍을 열고, 다음 순번은 자신의 칸에 들어가 차례를......
대기 일 번은 공석

공석에 난 바늘 자국은 책장을 숨게 했다 의자가 문을 향해 달아나게 했다 옷이 숨죽이게 했다 베개가 침대 밑으로 기어서 들어가게 했다 모두 외부 유출을 겁내서 아무도 몰라야 하는 일 바늘은 어디에도 기록되면 안 되는 물건

찬 숨
실종 사건은 전시되어 버렸다 전시 작품으로 썰렁한 전시관
관람객은 꼭 십 초를 다 세고 들어오지 않았다

외부 유출 위험, 꼭 불은 끄고 뒤적거리는 수색대 발바닥의 무심함에 의한 부상 거꾸로 선 바늘에 적합한 거꾸로 누운 사람 실종자

를 찾아야 하는 실종자 바닥을 내내 훑던 몸 바늘구멍 몇 개를 증거로

바늘은 일종의 살해 도구이기로 했다
부산물 목록 피해자 인적 사항

심장
작자 파손
미상의 위험 주의 필요 사건 다발 인간

자리 비움

김현진

지난해의 사람은 아직 오지 않았다
걷는 거리가 쓸쓸해서 도착이 지연되었다고

그런 거리를 떠나지 못해서
보도블록을 매 걸음 터지길 바라는 사람처럼 누르다가

어느 싱크홀이 좋아서 갔나 보다

입던 옷은 그대로 남아서 그의 소식이 향기로 묻고 내용물 없이 흐물흐물하게 나아가도록
나아가서 적당한 껍데기까지만 되어서 인간 대신 너무 살지도 말고 너무 죽지도 말고

옷이 옷을 입고 옷을 옷이 끌어안고
흩날리는 겨울 옷처럼 있었다

우리는 다음 해로 가지 못하니까
거리는 그다음 해에도 쓸쓸하고 보도블록 사이에는 지난해의 누군가가 좋아하던 싱크홀이 여전히 즐비하니까

건물에서는 발소리가 나지 않아도 불이 켜지고
자전거는 스스로 페달을 굴리는 내일
돌아가면서 임종하고 영혼 없음이 유행이 되어
알몸들이 거리에서 투신하는 어제

지하철 손잡이에는 소매만 걸쳐져 있었다

올해에는
자리 비운 이름을 외치겠지만

헤르츠의 직진

김현진

접힌 눈썹칼보다 하루 먼저 긴장했다 너는 산소 한 줌만큼의 술래

우리는 미아
욕설은 떨기만 하다 아무도 발견 못 하게 되어 버렸지
적외선은 종이에도 가려져서 손은 적외선보다 느리게 떨었다

먹먹한 저항

축축하게 쓴 약속을 어기고 닫힌 문
붉은 선으로 가득을 저질러버린 방 안 새파란 코끼리로 다가오는 천장으로 모든 뭉툭한 것에게 잊었다를 주었다 지구는 네모난 모양이구나. 이불도 날카로우니 피부 인형 손톱까지 주름 있는 것에 대한 정신 질환

헤르츠, 헤르츠만 오직 바쁘지 않았으면 해 멸망한 세상의 라디오를 찾아가야지 떠돌이 우주의 뭉툭한 소행성에게 기가헤르츠는 폭력이었다 일 초에 한 번 적당한 왕복의 직진 완만이기를

얼었다 녹았다 하며 탈수증 걸린 공기
못 찾겠다를 해내는

직선의 주파수로부터. 수신자 응답하세요
안테나에 미약을 잡아먹히기 전에
추락하기엔 유리일 때 아직 세 번째 신호 대기음이기 전
마주친 온도를 바라보는 낯선 행성의 주민은
일 헤르츠

울음이 직진했다
지구의 모서리로부터

검은 항해

이태웅

집은 집이 아니게 되었다
집에 가려고 배를 띄웠다 기적을 기도하는 난파선의 밤

새하얀 종이를 서울 앞 바다에 담가 놓았다
이제는 작은 무인도조차 기뻐할 수 없었어
해적들 목소리를 들어도 대답하지 말아야 한다
바다가 나를 쳐다보더라 그때 물고기들과 눈 맞더니
너는 내가 아니더냐 그렇게 물어보는 거야

깊게도 가라앉았구나

침수
오른쪽으로 뱃머리를 돌려 시계 방향으로 회전 균형을 잡는 듯 싶었다 원래 상어를 만나도 무섭지 않았으니까 이대로 돛대를 펼치겠다 소리를 내지르면 번갯소리가 너무 커 귀가 멀어 버린 바보가 되었다 어렸을 때부터 나비가 되는 것이 소원이었어 작은 날개와 커지는 바람 여름에 대한 동경을 품었다 그런데 번데기 안에 머물러 있잖아 그 순간 왼쪽으로 뱃머리를 돌려 반시계 방향으로 회전 모든 것이 원점으로 돌아갔어 검은 물이 다시 밝아지고 수없이 삼켜 온 바다

언제부턴가 물을 삼키는 순간 모든 것을 토해 냈다

배를 삼키는 섬광을 보신 적이 있으신가요
마침내 그곳에 발을 들여본 최후의 인류로 남겠구나
하늘을 보던 아이야 너는 왜 선장이 되었니

검은 닻
갈라진 채 떠돌던 배는 행방불명으로 남았다

랜턴을 잃어버렸어요

이태웅

나무가 모여 집이 되었다 얘들아 숨겨 줘서 고마워

하늘이 침을 뱉는데 얼굴에 손을 대더니 피가 흘렀어. 컵을 들고 길거리를 돌아다녔다. 며칠째 이어지는 밤 손에 물을 적시고 온몸으로 느껴지는 추위에 집으로 떠난 여행. 원래 내가 입던 옷들은 어제 세탁기에 넣고 다 돌려 버렸어.

나무 바깥 웃음소리로 가득하다 과녁이 된 것만 같아서

박쥐가 되는 법을 알려 줘. 바닥에 가라앉기 전에 동굴이라도 돌아다니고 싶어. 밖에서 날아다니는 올빼미에게 부러움을 품고 달빛에 타들어 간다. 본 적도 없는 태양이 그리워라.

땅거미로 살아온 지 몇 년이 지났는데 인간들이 무서운 건 변하지 않는 사실이다. 걸음걸이가 많이 느리더라도 이해해 줄래. 화를 내고 또 눈먼 장님처럼 살겠구나. 일상들이 내게서 멀어지는 것 결국은 그들에게 발이 달려 있기 때문이다. 나무들을 조금 더 가져온다. 아무 열매나 열려도 사람이 모여드는 것과 화려한 꽃을 피워도 버림받는 것이 어떻게 하나가 될 수가 있을까요.

나는 야행성이다 낮잠을 잘 때 꿈을 꾸는 사람이다 불면증에 시달리는 것으로 보인다 의사는 날 보고 입원을 권유한다 언제나 품어온 오랜 병

가로등은 왜 고개를 숙이고 우리를 내려다보는가

밤에 나갈 일이 없다 눈을 감아보는 시도를 했다
낮과 밤의 경계선을 주황색으로 칠했다 오늘 파란색을 덧대었다

파도라고 불리던 것

이태웅

그 많던 별들은
점점 시들어 가 버리고

찾을 수 없는 바다의 나들목에 앉아서
오지도 않을 무언가를 기다려
물 위에 비치는 평야에도 별들이 보인다
그마저도 찰랑이는 것은 왜 그런 걸까

파도가 친다. 우린 필연과는 반대였다. 쓰면 쓸수록 닳는 연필일 뿐이었으니까. 날 사랑한다는 것들에게는 날개가 달린 걸까? 예전엔 알약 하나 삼키는 것도 무서웠다. 그 두꺼운 플라스틱이 내 목을 막으면 죽을 것 같아서. 무서운 탓에 문득 겁을 먹고는 했던 기억이 있어요. 그랬던 내가 입속에 머금은 말들을 잘도 다시 삼키고 있더라. 그래 삼킬 수 있어. 파도가 잠잠해졌다.

파도라고 불리던 것
휩쓸려 가다 보면
도착한 육지에서 메마를 운명

네가 찾지도 못하고

헤매이지도 않는 이곳에서
마지막 노래를 부르고
조용히 시들어 가겠구나

무인도를 찾던
그 밤의 돛대

나는
매번 같은 뒷걸음질을 쳤다

놀이터 개

이태웅

손끝을 당기기 위해서 노력해 본다
몸속에 자라나던 뿔을 그분께 붙여 놓았어
나는 나에게 고백하고 거절할 계획인데요
그런 것들이 말투를 막아 버리잖아

하루 종일 헤매고 있어
춤을 춰요 모든 조명을 꺼 주시고 지금부터
방을 가득 비워 주길 이런 생각 나쁜 건
아니잖아요 근데 나를 무슨 의미로 너는

낯선 낙차를 느꼈다
냄새를 느끼고도 코가 막혔는지 목이 따갑고 시려웠다. 돌을 주워서 입안에 굴려 본다. 혀로 느끼고 입천장에 붙여도 보고 순진한 탓인지 다른 손가락에 피가 났어요. 물기가 조금 남아 있는 세포들은 아직 집에 가지 못했습니다. 붙잡았어야 하는 걸까 그렇지만 추억 때문이다. 하나가 아니잖아 수많은 별들 그중 하나 잊지 못하는 빌어먹을 향기 때문에 저 사랑을 펼쳐 본다. 나는 그날 밤 털 끝에 스며들어올 서리를 기억할 거야. 입속에 여전히 머무는 단어들이 있다. 아직도 밖으로 뛰어오르지 못한다. 어느 순간 사람들은 고철이 되었고 그들은 0과 1로 이루어져 있다. 그 순간 나는 생각하는 법을 잊었다. 화살표들이 사라졌다.

쓸 데도 없는 팔들을 가졌다
두 발로 서 있는 것들은 전부 다 바보라고 느꼈다

소설

Fiction

김지은

이유진

정해인

김지은

<세츠나이>

이유진

<모르는 사람>

정해인

<드라우닝>

세츠나이

ㅇ

김지은

사람들은 왜 논의라는 단어를 사용해 놓고는 통보를 할까.

나는 오늘 만화 학원 조교를 그만두었다. 정확히 말하자면 잘린 쪽이다. 원장 선생님께서는 계약 문제로 논의할 게 있다며 나를 학원으로 불렀다. 그리고 오늘까지만 일했으면 한다고 통보했다. 근무를 시작한 지 3주 만의 일이었다.

태도 문제로 학부모 컴플레인이 들어왔다고 했다. 학생들에게 너무 쌀쌀맞게 군 게 문제였을까? 아니면 얼마 전 근무 중 화장실을 한 번 다녀온 게 문제였을까? 3주 동안 컴플레인이 들어오면 얼마나 들어온다고 그러는지. 여하튼 아르바이트로 돈을 벌어서 겨울에 졸업 여행을 가려고 했는데 계획이 다 틀어졌다.

초가을치고 바람이 쌀쌀하게 불었다. 나는 팔짱을 끼고 오르막길을 저벅저벅 걸어갔다. 내게 해고를 통보하던 원장 선생님의 얼굴이 자꾸만 시야에 아른거렸다. 내가 그만둬야 하는 이유를 조곤조곤 말하던 그의 눈에는 얼른 이 상황에서 벗어나고 싶다는 감정이 서려 있었다. 그때 내가 이 학원의 짐짝이 된 것 같다는 느낌 때문에 부끄러운 감정이 들었다. 나는 눈을 끔벅거리고 먼 곳에 있는 간판을 보았다. 편의점 간판에 불이 환하게 들어와 있었다. 그제야 눈앞에 자꾸만 떠오르던 원장 선생님의 얼굴이 사라졌다.

학원 내부에서 정확히 어떤 결론이 나왔기에 내가 잘렸는지는 모르겠지만 일단은 긍정적으로 생각하기로 했다. 안 그래도 목, 금 근무라 금요일에 하는 퀴어 동아리 총회에 참석하지 못한다는 사실이 자꾸만 걸렸다. 이제는 그런 걱정을 하지 않아도 됐다. 나는 휴대 전화를 들고 동아리 임원진 채팅방에 문자를 남겼다. 저 알바 잘려서 다음 총회 나갈 수 있습니다. 그러자 다음 학기에 임원진을 그만두는 선배들이 한 마디씩 남겼다. 어쩌다 잘렸담, 그래도 총회는 나올 수 있게 되어서 다행이네, 걱정했는데 말이야……. 나는 채팅방을 유심히 살펴보았다. 한 명이 채팅을 보지 않았다. 5분이 지나도, 10분이 지나도, 30분 후 집에 도착해서도 채팅을 보지 않은 한 사람이 있었다.

마이였다.

물론 채팅을 보지 않는 데에는 여러 이유가 있을 수 있다. 바쁜 과제가 있어 미처 채팅을 확인하지 못했을 수도 있고, 누군가와 만난 상태라 채팅을 볼 여건이 안 될 수도 있다. 나는 마이가 그중 어디에도 해당하지 않는다고 확신했다. 마이는 예전에도 몇 번이고 채팅을 확인하지 않은 적이 있다. 며칠 뒤에나 잠깐 확인하고 아무런 답도 주지 않았다. 그는 다음 학기에 나와 함께 이 동아리를 이끌어 나갈 유일한 임원진이었다.

처음에 그를 만났을 때만 해도 마이와는 연락을 자주 주고받았다. 솔직히 말하자면, 나는 마이가 마음에 들었다. 머리가 짧은 데다 자꾸 여자들을 배려하려고 하는 모습이 저 사람은 분명 이쪽[1]이다 싶었다. 그 부분에서 동질감을 느꼈던 데다가 마이는 생긴 것까지 괜찮은 사람이었다. 우리는 교양 수업에서 함께 조별 과제를 하는 사이였는데, 조원 네 명 중 일본어를 할 줄 아는 사람이 나밖에 없어서 마이는 나에게 자주 말을 걸었다. 나도 그런 마이를 잘 받아 주었다. 당시 나는 마이와 어떠한 관계가 되고 싶었다. 그래서 레즈비언 데이트 어플리케이션에서 마이를 보았을 때, 아무런 망설임 없이 '좋아요'를 눌렀다.

마이가 어떤 생각을 했는지는 모르겠다. 내가 마음에 들었던 건지, 아니면 아는 사람이 보여서 '좋아요'를 누른 건지. 결론적으로 우리는 그 어플리케이션에서 채팅을 할 수 있게 되었다.

너도 이쪽이었구나…….

마이는 전혀 몰랐다는 듯 감탄하는 메시지를 보냈다. 어느 정도 예상하고 있었던 나는 놀란 기색 없이 답을 이어나갔다. 그리고는 제안했다. 이것도 인연인데 언제 술이라도 한잔하자고.

마이는 군말 없이 내 제안에 승낙했다. 바로 다음 날 수업이 끝나고 우리는 학교 근처 칵테일 바에서 술을 한 잔씩 시켰다. 타지에서 자신 같은 사람을 만났다는 것에 대한 기쁨 때문인지 마이는 평소보다 들떠 보였다. 그는 일본어와 한국어를 섞어 가며 이것저것 말하더니, 문득 일본

---

1) 성 소수자들이 같은 성 소수자들을 칭하는 말.

어로 내게 무언가를 물었다.

넌 네코와 타치 중 어느 쪽이야?

그게 무슨 뜻인지 알지 못한 채로 나는 눈만 끔벅거렸다. 네코가 일본어로 고양이라는 건 알았는데 내가 고양이냐고 묻는 건 아닌 것 같았다. 내가 멍하니 눈을 끔벅거리고 있자, 마이는 잠시 생각하더니 한국어로 다시 질문했다.

네코가 펨[2], 타치가 부치[3].

그제야 나는 그가 묻고 싶은 것이 무엇인지를 깨달았다. 한국의 레즈비언들이 알고 싶어 하는 정보를 일본의 레즈비언도 알고 싶어 하는 건가 싶었다. 나는 잠시 고민하다가 내가 둘 중 아무것도 아니라고 말했다. 어떤 사람들은 자신이 펨인지 부치인지를 중요하게 여기고 다른 사람의 정체성도 알고 싶어 했지만, 나는 그런 부류의 사람이 아니었다.

반면 마이는 자신의 정체성을 중요하게 여기는 사람이었다.

나는 타치야. 안기기보다는 누군가를 안는 걸 좋아하거든.

그땐 그것이 단순한 연애 성향 문제라고 생각했는데, 이제 와서 생각해 보면 마이에게 안고 싶음이란 사실 안기고 싶지 않다는 뜻이었다. 안기고 싶지 않다는 건 누군가가 행동에서의 주도권을 가져가는 걸 선호하지 않는다는 의미였으며, 결국 마이가 정말로 바랐던 건 안고 안기고의 문제가 아니라 관계에서의 주도권을 가져가는 것이었음을 나는 나중에서야 깨달았다.

---

2) 이른바 여성적인 성별표현을 통해 자신을 드러내고 이를 편하게 인식하는 레즈비언.
3) 복장, 말투, 몸짓 등에서 소위 남성적인 방식으로 성별표현을 하고 이를 편안하게 느끼는 레즈비언.

주도권을 쥐려는 사람. 남에게 주도권을 넘겨주는 걸 못 견디는 사람. 그래서 남에게 주도권이 넘어가려고만 하면 어딘가로 잠적해 버리는 사람. 그것이 바로 마이였다.

그런 사람은 꼭 논의하자고 해 놓고 통보하는 사람 같다.

논의하고 싶은 게 있어. 전 여자 친구였던 린은 어느 날 내게 메시지를 보냈다. 무슨 문제가 있는 걸까, 어디 여행이라도 가게 된 걸까. 별 생각을 다 하면서 린을 만나러 갔을 때, 그는 커피를 한 모금 마시고 돌연 헤어지자고 말했다. 린이 논의라고 말했기에 나는 정말로 논의를 하려는 줄 알았다. 그래서 린이 말하는 헤어져야만 하는 이유에 대해 반박도 하고 설득도 해 봤지만, 린은 이미 혼자 결론을 내린 상태였다. 엉엉 울면서 집으로 돌아오는 길에 문득 이건 통보라는 생각이 들었다. 린이 하고 싶었던 건 통보가 아닐까. 한국어가 서툴러서 논의 따위의 단어를 사용했던 게 아닐까.

그런데 학원에서 해고당했을 때 원장 선생님도 나에게 같은 일을 한 것이다. 논의한다고 말하고 통보하기. 이미 다 정해 놓고 할 말 없게 만들기. 나는 내가 해고당하리라는 걸 알고 있었다. 논의하자는 원장 선생님의 문자를 받은 뒤 나는 혹시나 하는 마음에 아르바이트 구인 사이트를 확인해 보았다. 아니나 다를까 2주 전에 원장 선생님이 목, 금 근무자를 구하는 글을 올려놓은 상태였다. 마감일은 어제까지였다. 처음부터 정해져 있던 실직이었다.

사람들은 왜 논의라는 단어를 사용한 다음 통보를 할까.

논의하자고 말한 뒤 논의를 하면 안되는 걸까.

어쩌면 나쁜 사람이 되고 싶지 않아서 그러는 걸지도 모른다고 나는 생각했다. 처음부터 통보하고 싶다고 말하는 건 못돼 보이니까 논의라는 단어를 방패 삼는 것이다.

그렇다면 왜 대화를 하지 않고 통보부터 하는 걸까. 문득 내가 대화하기도 싫은 부류의 사람일지도 모른다는 생각이 들었다. 내가 너무 구제불능이라 대화하는 노력을 기울일 필요가 없는 거다. 걷는 내내 한참 그런 생각을 하다가 현관문을 열 즈음, 내가 너무 깊게 생각하고 있다는 사실을 깨달았다.

다시 마이가 떠올랐다. 마이도 어느 순간부터 나와 대화하지 않으려고 했다. 나는 거실 소파에 앉아서 임원진 채팅방에 접속해 보았다. 모든 사람들이 채팅을 읽은 상태였다. 분명 마이 또한 채팅을 읽은 건데, 마이는 아무런 말도 하지 않았다. 혹시나 하는 마음에 나는 마이에게 따로 채팅을 보냈다. 내일 시간 돼? 우리 밥 먹은 지 오래됐는데 같이 저녁 먹자.

다음 날이 되도록 답장은 오지 않았다.

바쁜 거 아냐? 마이도 3학년이잖아.

이 상황에 대해 재영 선배는 별거 아니라는 듯이 말했다. 아니, 예전부터 보고 답장을 안 한다니까. 내가 답답한 마음을 티 내며 말해 보아도 재영 선배는 태연했다. 답장 안 보내도 되는 줄 알았겠지. 그러나 마이가 보내지 않은 답장에는 같이 저녁 먹자는 제안에 대한 답장도 포함되어 있었다. 결국 나는 마이와 저녁을 먹지 못하고 잠시 학교 근처에 온 재영 선배와 저녁을 먹고 있었다.

너무 걱정하지는 마.

재영 선배는 그렇게 말하고 돈까스를 한 입 베어 물었다. 나는 뭐라고 대꾸하려다가 한숨을 푹 쉬고 말았다. 걱정하는 게 아니다. 사실은 살짝 화가 난 상황이었다. 솔직히 말해서 나와 똑같은 3학년인데 바쁘면 뭐가 바쁘다고 이러는지 알 수 없었다. 게다가 마이가 이런 식으로 사람을 피하는 일이 많다는 걸 나는 알고 있었다.

조별 과제 마지막 날이었다. 중간 과제 프레젠테이션 디자인 담당이 마이였는데, 마이가 파일이 담긴 USB를 가져오지 않았다. 다행히 폰트 수정 전 버전이 내 노트북에 남아 있어서 급하게 손을 보고 발표를 시작했다. 다른 폰트가 적용되어서 줄이 바뀌는 게 어색한 부분이 있었지만 내용에 문제는 없었으므로 크게 신경 쓰는 사람은 없었다. 하지만 마이는 발표 내내 고개를 푹 숙이고 있더라니 교수님의 질문에도 제대로 답하지 못했다.

그날 이후로 마이는 조원들의 연락을 받지 않았다.

발표 이후 첫 조별 모임 때 마이는 수업에 결석했다. 무슨 일이 있나 싶어 마이에게 전화해 보았지만 받지 않았다. 타지에서 혼자 아프기라도 한 건지, 늦잠을 자서 수업에 나오지 못한 건지……. 별 생각을 다 했는데, 앞자리 국문과 학생이 마이와 연락하고 있는 걸 보았다. 수업이 끝나고 나는 그 학생의 휴대전화를 빌려 마이에게 전화했다. 그제야 마이와 대화를 나눌 수 있었다.

그 이후로 마이가 대놓고 잠적하는 일은 드물었지만, 곁에 있는 동안 마이가 상황을 회피하는 모습은 종종 볼 수 있었다. 한번은 마이가 일하던 편의점 아르바이트 사장님께 혼난 적이 있었다. 물류에서 실수가 있었던 모양이었다. 마이는 퇴근 후 내게 그 일에 대해 하소연하더니 다음 날 일언반구 없이 일을 그만두었다.

그래도 돼?

나는 황당하다는 듯 마이에게 물었지만, 마이는,

글쎄.

한마디만 하고 화제를 돌렸다.

이런 상황은 한 번만 있는 게 아니었다. 마이는 아무런 말조차 없이 불편한 친구의 연락을 보지 않기도 했다. 나는 그것이 꼭 숨바꼭질 같다는 생각을 했다. 편의점 사장님은 돌연 사라진 마이에게 끊임없이 연락을 했을 것이고, 마이가 연락을 끊었던 친구는 영문도 모른 채 마이에게 계속 연락했을 것이다. 어떤 사람들은 자신을 피해 숨는 마이를 찾아내야 했다. 마치 술래가 된 것처럼.

재영 선배 앞에서 저녁을 깨작거리고 있을 무렵 마이에게서 문자가 왔다.

미안, 일이 있어서 문자를 이제야 봤어.

거 봐, 바빴다고 하잖아. 재영 선배는 내 휴대 전화를 힐끔 보고는 키득거렸다. 그리고는 반주로 마실 맥주를 한 잔 시켰다. 본인 일이 아니라서 저렇게 태평할 수 있는 거라고 나는 생각했다. 다음 학기 동아리 운영진은 나와 마이 둘뿐이다. 동아리를 이끌어 나가려면 임원진 사이에서 원활하게 소통이 되어야 했다. 마이는 이번 학기 임원진이 되고 얼마 지나지 않아 연락이 뜸해졌다. 보통 네다섯 명이서 운영하는 동아리를 둘이서 운영하게 된 것도 막막한데 다른 한 명이 이렇게 연락이 안 되는 사람이라니. 문득 사실상 혼자서 동아리를 운영할지도 모른다는 생각이 들었다.

이대로는 안 된다. 어떻게든 마이가 연락을 보게 만들어야 했다. 나는 재영 선배와 헤어지고 난 직후 휴대 전화를 켜서 마이에게 문자를 보냈다.

그럼 내일 저녁 같이 먹어.

당연하게도 집에 도착할 때까지 문자에 답은 없었다. 이번에도 느린 답장으로 회피할 생각인가 싶어 나는 문자를 한 번 더 보냈다. 학교 앞에 돈까스 가게가 새로 생겼대. 한 시간 후에 다시 문자를 보냈다. 나 너랑 하고 싶은 이야기가 많아.

어디까지 피하나 보자. 그날 나는 30분 간격으로 다섯 개의 문자를, 다음 날 두 시간 간격으로 여섯 개의 문자를 보냈다. 오기가 생겼다. 과연 마이가 언제까지 내 문자를 보지 않을지 궁금했다. 알림을 아예 꺼 놓았다고 하더라도 채팅을 아예 보지는 않을 테니 이 정도면 답장을 하지 않고는 못 배기겠지 싶었다.

야작 중 마이에게 문자를 보내는 모습을 보고 재영 선배는 당황스럽다는 표정을 지었다.

너 무슨 스토커 같아.

이렇게라도 해야 연락 받지.

과제나 해라.

재영 선배는 액정 타블렛에서 눈을 떼지 않은 채로 말했다. 너 3학년 2학기야. 그 말을 들은 나는 휴대 전화를 슬며시 책상 위에 내려놓았다. 한가하게 남의 연락을 기다리고 있을 시간이 없는 것은 맞았다. 기본적으로 단편 만화 과제가 몇 개인가 항상 있었고, 내년에는 졸업 작품을 내야 했다. 이번 학기에는 큰 포털 사이트의 웹툰 공모전도 준비하고 있었다. 만화창작과의 3학년이란 잠 잘 시간도 없이 바쁜 학년이었다. 여기에 퀴어 동아리 회장까지 하려면 쓸데없는 데에 시간을 쏟을 여유는 없었다. 덧붙여서, 채팅을 보내면 보낼수록 아무 말이나 내뱉게 되는 게 민망했다.

나는 마지막으로 휴대 전화를 켜 보았다. 여전히 마이에게 보낸 채팅 옆 1이 사라지지 않은 상태였다.

애가 타는 걸 일본어로 뭐라고 해?

그건 내가 마이에게 보낸 마지막 메시지였다. 어쩌다가 저녁 이야기에서 애가 타는 것에 대한 이야기로 흘러갔는지는 모르겠다. 연락이 안 되어서 애가 탄다고 느낀 탓일까. 이유야 어찌 되었든 정말 아무 말이나 막 던진 것 같았다. 나는 문자를 지우려다가 그만두었다.

답장은 다음 날 1교시 수업 직전에 왔다.

세츠나이

짧고 간결한 답장이었다.

내가 마이를 다시 만난 건 며칠 후 퀴어 동아리 임원진 모임이었다. 매달 정기적으로 퀴어 동아리 임원진들이 모여서 퀴어 커뮤니티에 대해 이야기하는 자리였다. 동아리당 한 사람 이상만 참석하면 되고 내가 매 모임마다 참가하기 때문에 마이는 이번에도 오지 않는 듯했다.

그런데 마이가 왔다. 한 시간 정도 늦긴 했지만 아무튼 왔다. 다른 동아리 담당자가 강단에서 말하고 있는 와중 세미나실의 문을 열고 들어와 아무렇지도 않게 자리에 앉았다. 나는 입을 쩍 벌렸다. 나를 향해 아무렇지도 않게 손을 흔드는 마이를 향해 반사적으로 손을 흔들었지만 솔직히 많이 놀랐다. 이런 사업에 마이가 자진해서 참석하는 건 처음 봤다.

놀라는 것도 잠시, 나는 그 이유를 알아챘다.

여러분 우리 더빠 가요!

모임이 끝나자마자 한 사람이 벌떡 일어나서 외쳤다. 매 모임이 끝날 때마다 뒤풀이를 주도하는 사람이었다. 이번에도 한 잔 정도 마시고 갈 심산으로 가방을 챙기고 있을 때, 지금까지 한마디도 하지 않았던 마이가 따라서 손을 번쩍 들었다.

좋아요!

그때 깨달았다. 그러니까 마이는…… 이곳에 술을 마시러 온 거였다.

긍정적으로 생각하기로 했다. 목적이 뭐건 결국 임원진이 하는 사업에 참여하러 온 거였고, 내가 있는 걸 알고서도 이곳에 온 거였다. 나는 연락이 잘 되지 않는 마이를 드디어 만날 수 있게 되었다. 스스로를 달래보았지만 찝찝한 마음은 가시지 않았다. 이젠 마이가 임원진으로 일할 생각이 있는지 의심스러웠다.

이런저런 생각을 안고 사람들과 함께 바에 갔다. 좁다란 바에 스무 명이 넘는 임원진들이 옹기종기 모여 앉았다. 그곳에서 아르바이트로 일한 적이 있는 한 사람이 빠르게 주문을 취합했고, 주문이 끝나자마자 사람들의 관심은 새로 온 마이에게 쏠렸다.

다들 S대 퀴어동아리의 새 임원진인 마이에 대해 궁금해했다. 일본

인인가? 한국어 되게 잘한다. 이번 S대 임원진은 둘뿐인가? 그래도 한 명 아닌 게 어디야……. 그런 이야기를 들으며 수줍게 웃던 마이를 향해 누군가 물었다. 임원진은 어떻게 하게 된 거야? 마이는 뒷머리를 긁적거리며 대답했다.

은형이가 하자고 해서…….

그렇게 말하며 마이는 나를 바라봤다. 나와 그의 시선이 맞닿은 것도 잠시, 모임에서 제일 발이 넓은 한 사람이 장난스럽게 말을 덧붙였다.

송은형이 한 성 소수자를 지옥으로 끌어들였습니다. 아멘…….

완전 웃기다, 뭔 소리야…….

사람들이 깔깔거렸다. 마이도 덩달아 웃음을 터트렸고, 나도 분위기에 맞춰 작게 웃었다. 웃고 싶은 기분은 아니었다. 순간 내가 정말로 마이를 지옥으로 끌어들인 것만 같다는 생각이 들었다. 퀴어 동아리 운영진은 한다는 사람이 없어서 한 번 하면 1년 이상 하는 경우가 많다. 신경 쓰고 고려해야 하는 게 많은데다가 자기소개서에도 쓰기 어려운 직책이라 다들 자조하듯 지옥이라고 말한다. 사실 마이는 그 지옥에 들어가고 싶지 않았던 게 아닐까.

나는 마이에게 임원진을 권유했을 때를 떠올렸다. 어느 날 수업을 마친 뒤 단 둘이서 저녁 식사를 했을 때였다.

다음 학기 임원진 해 볼래?

그 당시 나는 혼자서 다음 학기 퀴어 동아리를 이끌어 나가야 하는 상황이었다. 늘 그랬듯 아무도 동아리 임원진을 맡으려고 하지 않았다. 지난 학기 임원진을 맡았던 선배들은 사람을 압박하거나 설득할 줄 알았고, 나처럼 우유부단한 사람들을 임원진으로 데려올 줄 알았다. 나는…… 그러지 못했다. 억지로 무언가를 시킬 정도로 못되게 굴고 싶지 않았다.

마이에게도 마찬가지였다. 나는 차마 마이에게 강압적으로 굴지 못했다.

다음 학기 임원진이 나밖에 없거든…….

사실 다른 회원들에게도 임원진을 권유해 보았지만, 다들 나름대로의 사정이 있다며 권유를 거절했다. 그러면 나는 아무 말도 하지 못하고 그들을 보내 줄 수밖에 없었다. 이렇게 말해 봤자 마이도 똑같이 임원진을 하자는 권유를 거절할 게 분명하다고 생각했다. 그렇게 체념한 순간, 마이는 작게 웃으며 고개를 끄덕였다.

응, 할게.

……그러니까 마이는 단 한 번도 나의 제안을 거절한 적이 없던 것이다.

내가 생각에 빠져 있던 사이, 사람들이 우르르 바깥으로 나갔다.

어, 다들 어디 가요?

어디 가긴, 담배 타임이지.

잘 보니 다들 손에 담배 갑과 라이터를 쥐고 있었다. 퀴어 동아리라서 그런지 성별 상관없이 많은 사람이 담배를 피우러 1층으로 내려간 것 같았다. 그중에는 마이도 포함되어 있었다. 나는 반사적으로 담배를 챙겨 들고 일어나 그들을 따라갔다.

우리는 바 1층에서 담배를 피웠다. 열댓 명의 사람들이 내뿜은 담배 연기가 가을바람에 허공으로 흩어졌다. 사람들은 몇 명씩 무리를 지어 이야기를 나누기도 했고, 혼자서 건물 벽에 등을 붙이고 담배를 피우기도 했다. 나는 후자였다. 마이가 다른 사람들 사이에서 내 쪽으로 오기를 기다렸다. 자기 뜻대로 안 되면 도망쳐 버리는 마이였지만 오늘 같은 날에도 내게 말 한마디 안 걸 거라고는 생각하지 않았다.

내 생각대로 마이는 먼저 내게 다가왔다.

세츠나이는 '애절하다'에 더 가깝대.

뜬금없는 말에 나는 눈을 끔벅거렸다. 갑자기 왜 이런 이야기를 하느냐고 묻기도 전에 마이가 말을 이었다.

일본어는 사전을 찾아보지 그랬어.

아, 그러게. 내가 왜 그런 문자를 보냈을까.

나도 모르게 비아냥거리는 소리가 나왔다. 일본어 정도는 알고 있었고, 마이의 말대로 사전을 찾아보면 된다는 것도 알고 있었다. 만화창작과에 오겠다고 일본 애니메이션이며 만화를 얼마나 봤는데 일본어를 모를까. 심지어 전 여자 친구 또한 일본인이었다. 지금 내 감정은 세츠나이보다는 이라다츠나 지레코무[4]에 가까웠다. 애절하기보다는 초조하고 애가 타는 것이다. 그런 감정들을 해소하기 위해서는 대화를 해야 한다는 걸 나는 알고 있었다. 나는 마이를 똑바로 바라본 채로 입을 열었다.

논의할 게 있어.

그 순간, 논의한다고 말한 뒤 통보했던 사람들이 머릿속에 스쳐지나갔다. 학원 원장 선생님, 전 여자 친구였던 린……. 그 사람들의 통보가 나를 얼마나 허무하고 괴롭게 만들었는지 기억하고 있었다. 나만큼은

4) 이라다츠(苛立つ)와 지레코무(焦れ込む)는 유의어로, 초조해하다, 애가 타다와 같은 뜻을 가지고 있다.

통보가 아니라 논의하는 사람이 되어야 했다.

그런 나를 바라보며 마이는…… 고개를 끄덕였다.

이틀이 지났다. 학교 앞 카페에서 마이를 만나기로 했다. 카페에는 사람이 반쯤 차 있었고 주변에서는 적당한 소음이 들려왔다. 두런두런 대화 나누기 적당한 장소였다. 나는 약속 시간보다 15분 일찍 도착해서 커피를 주문하고 자리에 앉아 있었다. 마이가 도착하기 전까지 여러 가지 생각을 했다. 그 생각은 적어도 마이에게 내쏟으려고 하는 생각들은 아니었다. 내가 잘못한 게 있으면 사과하고 싶었고, 오해가 생겼다면 그 오해를 풀고 싶었다. 나는 마이에게 건넬 여러 가지 말에 대해 생각했다.

약속 시간 정각이 되자, 마이는 카페 문을 열고 들어왔다. 도어벨 소리가 들리자마자 나는 생각하느라 굽히고 있던 등을 곧추세우고 앞을 바라봤다. 마이는 가볍게 손을 흔들고 내 앞에 앉았다. 그리고는 안부부터 시작해서 최근에 뭘 했는지까지 조잘조잘 말하기 시작했다. 내가 이곳에 온 목적은 따로 있었기에, 나는 그의 말을 끊고 단도직입적으로 물었다.

너, 혹시 연락 안 받는 진짜 이유가 있어?

그 말을 듣자 마이의 표정이 굳었다. 나는 마이를 가만히 쳐다보았다. 그가 어디로든 빠져나가지 않고 내 말에 대한 답을 하길 바랐다.

다그치는 게 아니라, 마이가 연락을 늦게 받으면 동아리 운영하는 데에 어려움이 생겨서 묻는 거야.

마이는 고개를 푹 숙였다. 그는 시선을 이리저리 옮기며 입을 우물거렸다. 나는 그가 입을 열 때까지 침착하게 앉아 있었다. 몇 초의 정적이 흐른 뒤, 마이는 입을 열었다.

미안해.

나는 작게 한숨을 내쉬었다. 그가 변명 같은 걸 하지 않고 사과했다는 것에 대한 안도였다.

괜찮아, 마이. 그러면…….

역시 나 임원진 그만둘게.

엥.

말을 듣자마자 이상한 소리를 내고 말았다. 방금 내가 뭘 들은 거지? 그만둔다고? 머리를 한 대 얻어맞은 기분이었다. 실은 마이가 그만두고 싶어 할지도 모른다고 생각했지만 정말로 그만두겠다고 말할 줄은 몰랐다. 나는 눈을 끔벅거리며 멍하니 마이를 바라봤다. 내가 뭐라고 말하기도 전에 마이가 먼저 말을 이어 나갔다.

내가 연락이 안 돼서 폐를 끼치는 것 같아.

아니, 그것만 어떻게 해 달라고 말하는 거야. 그만두라고 하는 게 아니라.

하지만 그것 말고도 내가 임원진을 할 능력이 안 되는 것 같은걸.

임원진 처음 하면 다 그래. 거창한 걸 한다기보다는 내 일만 조금 도와줬으면 하는 마음에서 임원진 해 달라고 말한 거고.

이제 바빠져서 동아리 활동조차도 어려울 것 같아.

나는 마이를 설득하려고 했지만, 마이의 입에서는 건조한 말들이 청산유수처럼 쏟아져 나왔다. 그제야 나는 마이가 이미 마음을 정했다는 것을 깨달았다. 이런 사람들에게 대화를 시도해도 그들은 대화할 생각을 하지 않는다는 걸 나는 경험으로 알고 있었다. 마이는 이곳에 통보하러 온 것이다.

그럼 나 이제 가 볼게.

할 말을 마친 마이는 자리에서 일어났다. 나는 멍하니 마이를 바라보기만 했다. 황당했다. 통보하지 않는 사람이 되려고 노력했는데 돌아오는 건 통보였다. 이곳에서 나누고 싶었던 대화는 이런 게 아니었다. 나는 허겁지겁 일어나 마이의 팔을 잡았다. 의자 다리가 요란하게 바닥에 마찰하는 소리가 들렸다.

…….

마이는 고개를 돌려 나를 바라봤다. 뭐라도 말해야겠다고 생각해서 나는 입을 벌렸다. 그러나 아무 말도 하지 못했다. 마이는 내게 하고 싶은 말을 모두 한 사람이었다. 나 혼자 하고 싶은 말을 해 봤자 마이에게는 이미 정해진 결론이 있었다. 그의 팔을 잡은 나는 잠시간 망설이다가 입을 열어 짧은 문장 한 개를 입 밖으로 내뱉었다.

오츠카레사마[5]

집에 돌아가는 길은 추웠다. 카페에 올 때보다 바람이 더 많이 불었고 해가 져서 기온은 더 낮았다. 나는 옷을 꽉 여미고 가로등 한두 개가 켜진 골목길을 터덜터덜 걸어갔다. 혼자가 된 기분이었다. 아니, 사실 정말로 혼자가 된 걸지도 모른다. 마이가 임원진을 그만둔다고 한 지금, 나는

5) 일본어로 '수고하셨습니다'를 의미한다.

혼자서 동아리를 운영해야만 한다.

문득 린을 마지막으로 만난 날이 떠올랐다. 뭐라고 말해도 린을 잡을 수 없던 날이었다. 내가 무슨 말을 해도 린에게는 되받아칠 말이 있었다. 은형이는 앞으로 작품 하느라 바쁠 테니까, 나도 앞으로 할 일이 많으니까, 현실적으로 우리는 함께하기 어려울 테니까……. 린이 그렇게 말하면 나는 억지로 반박할 말들을 쥐어짜냈다. 내가 아무리 바빠도 린에게 쓸 시간은 있고, 관계란 시간 내서 공들이는 거라고, 함께할 방법은 모색해 보면 된다고. 린은 조금 빠른 속도로 말하던 나를 가만히 바라보다가 말했다.

그만 말해.

린.

너 정말 애타 보여.

그때 린이 '애타다'를 말할 때 어떤 단어를 사용했는지 나는 기억한다. 그건 이라다츠도 지레코무도 아니었다. 잡히지 않는 누군가를 잡아야 할 때 느끼는, 애달프고 애절한 감정에 가까운 세츠나이였다.

모르는 사람

○

이유진

○

언제나 영화관이 좋았다. 영화는 좋아하지 않았다. 내게는 영화나 광고나 별다를 게 없었다. 중요한 건 스크린에 비추는 빛보다 주변의 어둠이었다. 어둠이 적당히 짙기만 하면 빛이 어떤 색으로 변하든 상관하지 않았다. 아무도 신경 쓰지 않는 빛의 변두리에 어둠과 함께 고여 있는 게 즐거웠다. 눅눅한 팝콘 냄새를 맡으며 푹신한 좌석에 깊숙이 몸을 묻으면 마음도 가라앉았다. 사람들의 시선 속에 불편하던 느낌, 수많은 입자 속 그저 하나일 뿐이라는 느낌. 영화관은 꼭 그런 느낌을 지우기 위해서 만들어진 공간 같았다. 영화관을 구상한 사람. 적어도 그만은 먼 시간을 뛰어넘어 나를 이해할 것이었다. 마치 영화관을 통해 잉태된 형제들처럼.

부모님 손에 이끌려 상영관에 처음 발을 들여놓았던 때 매혹당했다. 붉은 좌석과 발소리를 줄일 목적으로 푹신하게 만든 바닥. 모든 게 좋았다. 거리의 소음이나 부대끼는 사람들의 거친 몸짓. 듣거나 보는 것만으로 온몸의 기력을 소진하던 자극들. 다 차단된 세상은 편안했다. 스피커에서 나와 귓전을 때리는 배우의 음성조차 실제 인간의 것보다 부드러웠다. 처음 만나는 자유였다.

그러나 자유는 같은 관에 있는 사람들에 의해 종종 방해받고는 했다. 조용한 정적을 깨는 음식 씹는 소리, 약간 막힌 듯 거칠게 빠져나오는 숨, 아예 잠에 들어 하는 줄도 모르고 하는 코골이, 부주의하게 울리는 전화벨. 나는 영화에 몰입하는 부류는 아니었지만 그들만큼이나 방해 공작에 예민했다. 특히 싫어하는 건 코골이였다. 코골이 자체보다도 직후 컥, 하며 깨어나는 소리가 아주 거슬렸다. 그 소리는 언제나 반복되는 코골이가 간신히 익숙해질 때쯤 나타나 열받게 했다. 언젠가는 그 때문에 영화 중간 아예 자리를 박차고 나간 적도 있었다.

그랬던 내가 코골이는 물론이고 웬만한 소음까지 즐기게 된 것은 사춘기 무렵이었다.

"저기, 잠시만……."

아직도 목소리를 생생히 재생할 수 있었다.

그녀를 만나기 약 한 시간 전. 부모님이나 친구들 없이 혼자서 영화관을 드나드는 데 취미를 들인 지 이미 꽤 지난 어느 날. 늦은 저녁 상영하는 영화를 예매해 집에서 저녁을 먹은 후 밖에 나갔다. 밥을 먹다 보니 시간이 생각보다 더 지나 있어 마음이 급했다. 이대로는 늦을 것 같아 망설이다가 양치질을 건너뛰었다. 대신 물을 몇 모금 마시고서 서둘러 옷을 꿰어 입었다. 어차피 전부 팝콘이나 오징어를 씹을 테니 입냄새가 더 해져도 하나쯤은 티도 나지 않을 거라고 생각했다.

뛰다가 걷다가 해서 영화가 시작되기 전 간신히 상영관에 들어갈 수 있었다. 거칠게 뛰는 심장을 심호흡으로 가라앉히려고 노력하며 표를 봤다. J열 13. 얼마 전 새로 개봉해 소위 명당 자리에는 사람들이 듬성듬성 모여 있었지만 J열을 비롯한 뒷좌석은 한산했다. 무사히 자리를 찾아 앉았다. 오돌토돌한 천을 손가락으로 더듬었다. 익숙한 안도감이 가슴을 파고들었다. 그대로 녹아 의자 일부가 되어 남은 평생을 영화관에서 보내고 싶었다. 그러지는 못해도 최대한 밀착하려고 자세를 이리저리 바꿔 가며 자리를 잡았다. 편안한 한숨이 입 밖으로 새어 나왔다. 마침 시간이 되어 불빛이 어두워졌다. 손잡이에 올려 둔 손이 어둠에 휩싸이는 것을 바라보았다. 완전히 검어진 후 눈을 감았다.

몽상과 잠 사이에서 몇 분 정도 있었다. 더없이 포근했다. 여자 하나가 상영관 입구로 뛰다시피 들어온 건 그때였다. 의식이 또렷하지 않고 몽롱해 그녀가 아래에서 계단을 올라오고 있을 때는 존재를 알아차리지도 못했다. 계단을 다 올라와 내 어깨를 두드릴 때까지도 마찬가지였다. 따라서 손길이 차라리 쓰다듬는 것에 가깝게 소심하고 부드러워도 놀라고 불쾌할 수밖에 없었다. 살짝 찡그린 채 마지못해 고개를 돌렸다. 머리 위로 조그맣게 속삭이는 목소리가 들려 왔다.

"저기, 잠시만……. 안으로, 들어가게 해 주시겠어요?"

요청 사이사이 튀어나오는 숨이 거칠었다. 그건 무엇보다도 정적을 확실하게 깨뜨렸다. 순간 귀에 들리는 것이라고는 오직 여린 음성. 불빛과 그림자가 곱슬곱슬한 머리카락과 섞여 그녀의 모습을 흩어놓았다. 꿈속에서 보는 것처럼 흐리고 신비한 이목구비였다. 아무 말도 뱉을 수 없고 어떤 행동도 취할 수 없었다. 그만한 충격은 영화관에서도 바깥의 거리에서도 다시 느낀 적 없었다. 얇은 원피스 아래 피부가 어릿하게 반짝이는 여자. 그 완벽한 피부는 도무지 내 기력을 소진할 리가 없었다. 굽기 전 밀가루 반죽 같은 가슴, 허벅지 사이에 몸을 묻으면 아무것도 나를 공격하지 못할 것 같았다.

내가 잠시 어떤 반응도 없이 가만히 보고만 있자 충분히 기다렸다고 여겼는지 다리 한쪽이 앞 좌석 등받이와 내 무릎 사이로 들어왔다. 그녀의 몸과 내 몸이 거의 닿으려 했다. 우리가 가장 가까이 스친 이 순간 서로의 거리는 단 0.01cm. 그녀에게서 뿜어져 나오는 열까지 느껴졌다. 몇 초 동안 실수인 척 무릎을 움직여 원피스 자락을 들어 올리는 상상을 했다. 그리고 드러난 엉덩이를, 흰색 레이스로 감싸인 보송한 살덩어리를 엿보는 상상. 하지만 그것을 실행에 옮기는 대신 자세를 바로 해 공간을 마련해 주었다. 여자는 여유가 생긴 공간을 게걸음으로 통과하며 꾸벅 고개를 숙였다.

"감사합니다."

겸손한 속삭임에 대해서 고심하다가 할 수 있는 단 하나의 대답을 내뱉었다. 소리가 멎은 자리에서 숨이 길게 뿜어져 나왔다.

"네……."

그러다가 여자의 숙인 얼굴에까지 가닿았나 보았다. 마침 장면이 바뀌어 스크린이 흰빛으로 물들었다. 관 전체가 환해졌다. 그 바람에 보고 말았다. 아름다운 눈썹 사이가 좁아지고 있었다. 왜인지 알지 못해 어리둥절하다가 조금 늦게 깨달았다. 손바닥을 입 앞에 대고 숨을 뱉은 후에 냄새를 맡아 보았다. 저녁에 먹은 음식들이 안에서 소화되고 있었다. 하필 이때 양치질을 건너뛰다니 절망적이었다. 여자는 이미 나에게서 대여섯 칸 떨어진 자리에 앉아 영화에 시선을 고정하고 움직이지 않았다. 아까 나를 향했던 눈빛은 더는 나에게 있지 않았다. 남은 시간 동안 할 수 있는 다른 생각은 없었다. 영화가 끝나고 그녀를 어떻게 붙잡아 무슨 말을 건네야 할지만 고민했다. 양치하지 않은 건 오늘이 정말 처음이에요. 미안합니다. 저랑 만나 보실래요? 엔딩 크레딧이 올라가기 시작하고 나서야 간신히 결정을 내렸다. 하지만 일어서서 옆으로 몸을 돌렸을 때, 눈앞에는 아무것도 없었다. 붉은 천만 덩그러니. 나풀거리는 원피스는 이미 저 아래서 스크린 앞을 횡단하고 있었다.

멍하니 나와서 몇 번이나 떠올렸다. 머릿속에서 지워지지 않았다. 떠올릴 때마다 당혹스러웠다. 매번 되살아나는 수치심 때문만은 아니었다. 흰 목덜미, 가슴의 윤곽, 허벅지 사이의 열기, 그리고 나의 숨결로 인해 구겨진 미간. 모두 내게서 강한 충동을 끌어냈다. 그중 미간이 특히 흥분된다는 사실이 때로는 나를 몹시 괴롭게 했다. 거기 흥분한 건 단순히 아름다워서가 아니었다. 여자의 열기가 나에게 닿고 나의 숨결이 여자에게 닿는 일련의 시퀀스. 보이지 않는 기류에 대한 유일한 증거. 그토록 완벽한 여자에게 영향을 미친 게 고작 나라는 남자의 숨결 하나. 어쩌면 나는 그렇게 미약한 사람이 아닌지도 몰랐다. 세상을 가득 채운 먼지 속 하나 그 이상인지도 몰랐다. 그렇게 생각하는 나 자신이 어딘가 고장

나 있다고 의심하면서도 때로는 그 생각을 정말로 믿었다.

속에 도사린 한 가지 의혹. 그것 빼고는 달라진 게 없었다. 평상시처럼 살아갔다. 밥을 먹고, 양치를 꼼꼼히 하고, 학교에 다니고. 그러면서 여자의 모습은 점점 더 희미해질 줄 알았다. 실제로 희미해진 것 같은 순간이 더러 있기는 있었다. 그러나 그런가 하면 곧 다시 선명해졌다. 그때마다 어쩐지 그녀를 마주했던 과거보다도 구체적인 형상이 나타났다. 시간이 지나 그녀의 가슴골 사이 영화관까지 뛰느라고 맺힌 땀방울이 실제로는 있었는지 없었는지, 반짝였는지 아닌지를 곰곰이 되새겨 보던 즈음, 한 가지 문제가 나타났다는 걸 알았다.

내 방 한구석에서 성기를 세우려고 노력하느라 오랜 시간을 보냈다. 인터넷에서 아무리 자극적인 영상을 찾아보고 아무리 기이한 재료를 사용해도 드디어 세웠나 싶어 손을 떼어 보면 녀석은 어김없이 축 처졌다. 잃은 것이 많았다. 중간에 이어폰 잭이 빠지는 사고가 있어 내가 동영상을 본다는 사실은 이제 가족 사이 공공연한 비밀이 되었다. 거즈, 실리콘, 바나나 껍질 등에 문대지느라 연약한 살갗은 따끔거렸다. 그러고 나니 손을 댈 수 없었다. 영영 불능이 되어 버린 모양이라고 여겼다. 아래에서 액이 나오지 않으니 눈물이라도 흘리고 싶었다.

심란한 마음을 달래려고 터덜터덜 영화관으로 향했다. 여자를 만나고 나서는 처음이었다. 평소처럼 어두운 구석 자리에 앉자 차분해지는 듯한 기분도 들었다. 등받이에 목을 기대고 눈을 감았다. 눈두덩이를 통과하던 빛마저 없어지고 사람들의 웅성거림이 잦아들었다. 이 초간의 온전한 공백. 스피커에서 나오는 소리가 나를 덮치기 전 감은 눈 사이로 여자의 모습이 나타났다. 평소처럼 금방 지나갈 줄 알았다. 그런데 그녀의 몸. 들어갈 데 들어가고 나올 데가 충만하게 나와 더없이 안전해 보이는 몸이 눈앞으로 계속 다가왔다. 곧 가린 것 없는 맨가슴에, 둥근 살과 살 사이에 내 얼굴이 묻혔다. 감각이 생생했다. 보송하고 후텁지근한 느낌. 음미하려고 나도 모르게 고개를 앞으로 내었다. 콧대에 뭉크러지는 것까지 진짜 같았다. 숨을 들이마셨다. 그때 여자의 분내 대신 팝콘 냄새가 콧속을 파고들었다. 놀라서 눈을 뜨니 가슴은 사라지고 손잡이를 꼭 붙든 채 금방이라도 튀어 나갈 듯한 자세를 취한 나만 남았다. 다시 등받이에 기대며 무심코 아래를 내려다보았다. 성기가 바지 한가운데를 부풀리며 빳빳이 서 있었다. 끄트머리가 축축했다.

나머지 일들은 거의 다 관성에 의해서 일어났다. 영화관에 갈 때마다 엉덩이까지 내려오는 티셔츠나 점퍼를 입었다. 들어가기 전 스낵바에서 음료수를 사 안이 비치지 않는 용기를 마련했다. 시작은 소박했다. 눈을 감고 이제는 나만의 추억이 되어 버린 여자를 떠올렸다. 아무도 듣지 못하도록 대사나 음향이 바빠지는 순간을 노렸다. 움직이다가 느낌이 오는 순간 미리 뚜껑을 빼 둔 통을 아래 가져다 댔다. 싸고 나서는 다시 밀봉하고 빈 옆자리 손잡이에 끼워 두었다. 남은 상영 시간 동안은 그 통이 거기 있다는 것과 그 통 안에 내 정액이 있다는 것을 무시하려고 안간힘을 쓰며 별 흥미도 없는 영화를 응시했다. 상영관에 불빛이 돌아오고 나서야 최대한 무심하게 통을 집어 들고 나가는 길 쓰레기통 안에 던져 넣었다.

영화관에서 자위한 지 십 년이 다 되어 가자 군이 눈을 감지 않고도 세울 수 있게 되었다. 관객 중 아무 여자나 보면서 그녀의 환상을 덧씌웠다. 머릿속에서보다 생생히 뒤척거리고 움찔거리는 모습. 이전보다 더 빠르게 절정에 도달했다. 손길도 상상도 점점 더 노련해졌다. 한때 견디기 힘들었던 죄의식도 옅어졌다. 누군가 지켜보고 있다는 걸 스크린에 정신 팔려 까맣게 잊어버린 사람들. 금방이라도 잠에 들어 버릴 듯, 이미 반쯤은 잠에 들어 있는 듯이 나른한 분위기가 풍겼다. 무방비하게 의자에 늘어져 맘대로 해도 좋다고 말하는 뒤통수. 내가 무슨 짓을 하든지 그들에게는 아무런 영향도 미칠 수 없었다. 슬프고 감미로운 사실이었다. 모든 장면과 감각이 익숙해졌다. 슬슬 권태롭기까지 했다.

그날도 지루한 얼굴로 상영관에 걸어 들어갔다. 충분히 시간이 지나고 바지 고무줄을 내려 닳아빠진 성기를 드러냈다. 바로 그때 나는 인생을 바꿀 또 한 명의 여자를 마주치게 되었다.

자영은 피를 흘리면서 밤거리를 헤맸다. 가로등도 몇 없이 어두운 하늘. 셔츠는 물론이고 외투까지 축축하게 젖어 들어 갔다. 부쩍 겨울에 가까워진 공기가 코끝을 시리게 했다. 하지만 천천히 식어 가고 있는 몸은 공기 탓만은 아니었다. 안을 채우고 있던 뜨거운 것이 틈 사이로 흘러나오는 모양새가 심상치 않았다. 이대로 둔다면 바람과 같은 온도가 되어 무너져 내리고 말 것이었다.

차가운 뺨에 비해 머리는 열기에 어지러웠다. 초점을 주체하기가 힘들었다. 힘이 들어가지 않아 눈이 감길 때마다 손아귀의 총 손잡이를 더 세게 쥐었다. 손바닥에 난 식은땀에 매끈한 금속이 젖어 반복해서 고쳐 쥐었다. 금속 표면이 딱딱하고 울퉁불퉁해 봤자 굳은살 박인 손이 상처 난 배보다 아플 리 없었다. 발을 감싼 신발이 딱딱한 콘크리트 바닥과 부딪힐 때마다 배에서부터 온몸으로 고통이 퍼져 나갔다. 그러나 고통은 그저 살아 있다는 표시, 무시하고 움직여야 한다는 신호. 그동안 셀 수 없을 정도로 많이 겪어 온 것이었다.

오랜 시간을 거쳐 만들어진 본능에 따라 그저 목숨을 붙어 있게 하는 방향으로 향하는 데만 집중했다. 자영에게도 동료들이 가진 것과 마찬가지로 도망과 추적의 본능이 심겨 있었다. 왼쪽, 오른쪽. 좁은 골목의 비슷비슷한 모습이 어지럽게 스쳐 지나갔다. 몇 개의 담을 타 넘으면서도 따라오는 기척에 귀 기울였다. 물 먹은 듯 시시각각 무거워지는 다리. 어서 들어갈 장소를 찾지 않으면 안 됐다. 잠시라도 따돌려야 기회를 노릴 수 있을 터였다. 솟아오르는 조바심을 죽이고 남은 힘을 짜내어 발을 놀렸다. 그러다가 담장에 바짝 기대어 소리를 죽이고 걸으면서 인기척을 들었다. 밭은 숨까지 참아야 들릴 정도로 작았다. 멀리 떨어져 있었다. 하지만 그에게는 놓치는 시늉을 하며 안심시키는 버릇이 있어 안심하기에는 일렀다. 마음을 놓지 않고 몇백 미터 더 움직였다. 어느 순간 소리가 완전히 멎은 지 꽤 되었다는 확신이 들었다. 정말로 추적에서 벗어난 듯했다. 그림자 속에서 한참을 더 뛰다가 멈추고 숨을 돌렸다. 건물 외벽에 몸을 던지듯이 기댔다. 숨이 터져 나오려는 것을 참고 억누르며 천천히 내쉬었다. 폐에서 찢어지는 통증이 느껴졌다. 그것이 배의 고통과 합세해 눈앞이 번쩍거렸다. 조심스레 내뱉는 입김마저도 들킬까 고개를 바짝 세운 외투 옷깃에 묻었다.

어쩌다 이렇게 됐는지 믿기 어려운 건 아니었다. 언젠가는 이렇게 되리라 짐작하고 있었다. 자신이 한 바에 의해 돌아왔을 뿐인 결과를 돌이킬 수 없었다. 항상 해야 하는 일을 해 왔다고 생각했다. 애초에 주어진 선택권이 별로 없었다. 실은 태어난 이래 단 한 번. 아직도 잊히지 않는 양자택일의 질문.

"나갈 거야, 할 거야?"

그때 손에 들려 있던 칼. 손은 굳은살 박여 단단한 지금과 달리 작고 여렸다. 생채기투성이의 손. 따라서 날만큼이나 더러워졌던 손잡이. 앞에는 자영보다 몸집이 두 배 정도 큰 사람이 옆으로 쓰러져 있었다. 어디를 어떻게 다쳤는지도 모르게 피를 뒤집어썼다. 그 모습을 보자 어느새 먹먹해진 귀에 삐이이 긴 이명이 들렸다. 갑자기 기압이 변했을 때 으레 그렇게 하듯 침을 꿀꺽 삼켰다. 멈추지 않는 이명을 뚫고 옆에 선 도음이 다시 한번 물었다. 억양 없이 단조로운 어조였다. 시간을 더 끌어서는 안 되었다. 할게요.

한 걸음 한 걸음 나아갔다. 두 손으로 겨눈 칼은 떨리지 않았다. 그게 자영 자신도 의아했다. 평온하게 제 박자로 뛰는 심장. 몸뚱이 앞에 무릎을 꿇고 앉았다. 꺼져 가는 의식을 놓지 않기가 힘든지 검은자위가 뒤로 껄떡껄떡 넘어갔다. 그 움직임에 따라 몸뚱이 전체도 일정하게 흔들리고 있었다. 시계추를 연상시키는 리듬. 똑딱똑딱. 거기 맞춰 머리를 비웠다. 팔을 높이 들어 올렸다가 힘을 줘서 턱이 끝나고 목이 시작되는 부분에 내리꽂았다. 자꾸만 감기던 눈이 번쩍 뜨이며 안구가 튀어나올 듯했다. 입은 경악하듯 벌리는 대신 더더욱 굳세게 다물렸다. 축 처져 있던 손이 들리더니 피가 치솟는 목을 덮었다. 온몸이 전기 충격을 당한 것처럼 발발 떨리고 있었다. 자영은 핏방울이 흘러내리는 칼을 쥐고 가만히 앉아 있었다. 그때 그대로 두면 오래 몸서리쳤을 생명을 뒤에서 울리는 총소리가 끝장냈다. 탕. 깜짝 놀라 눈을 깜빡한 새 이마에 동그란 구멍이 새겨져 있었다. 자영을 꿰뚫듯 번뜩거리던 눈, 흰자위와 검은자 사이의 경계가 유난히 뚜렷하던 눈도 빛을 잃었다. 방금까지 형형하던 걸 누구보다 가까이서 봤는데도 어쩐지 눈은 생기 잃은 지 백만 년은 된 것 같았다. 먼 과거의 건물을 보듯 아득했다.

허탈감 또는 허무함. 그 외에는 어떤 감정도 느껴지지 않았지만 가위눌린 몸이 움직이지 않았다. 한참을 그대로 있자 어느새 뒤에서 들리는 발걸음이 가까워졌다. 뒤꿈치에 힘을 주어 걷는 특유의 발소리였다. 자영 어깨 위에 손이 얹혔다. 두껍지 않은 옷 너머로 와 닿는 체온이 서늘했다. 손이 굳어 있던 자영을 일으켜 있던 곳 밖으로 이끌었다. 안에 영영 무언가를 놓고 왔다는 걸 어린 마음에도 알았다. 트라우마는 없었다. 그저 눈물만 한발 늦게 뺨에 튄 핏줄기 사이를 가르며 흘러내렸다. 자신도 깨닫지 못한 사이였다. 깨닫기도 전에 고개가 획 돌아갔다. 피 위로 눈물이 흐른 자리가 저릿하고 화끈거렸다. 열이 번지는 피부를 쓰다듬으며 그를 올려다보았다. 당시 자영보다는 몇 살 더 먹었지만 지금의 도음에 비하면 그저 남자아이에 불과한 모습. 그가 엄격하고 냉정하게 자영을 바라보고 있었다. 눈빛이 차가워 저절로 몸서리쳤다.

"눈물 흘리면 안 돼. 슬픈 건 물론이고 아파도. 우는 살인자는 배신자다."

말로 대답해. 끄덕이는 것을 멈추고 간신히 목소리를 내었다. 도음의 말과는 달리 자영은 슬프지도 아프지도 않았다. 아무것도 느껴지는 게 없는데도 대답은 형편없이 떨리고 있었다. 그게 억울해서 입술을 깨물었다. 그러자 그가 표정을 풀고 웃으면서 눈물을 닦아 주었다. 괜찮아. 다음에 안 그러면 돼. 자상하게 들리는 말이었다.

그것 때문에 도음에 대해 오해한 한때가 있었다. 드러내지는 않지만 그에게도 인간의 마음이 있다고 여겼던 한때. 뒤에서 들린 총소리가 그의 자비였다고 생각한 한때.

처음으로 빛을 꺼트린 눈은 잊을 만하면 떠올랐다. 그 눈이 지금은 자영에게 움직이라고 말하고 있었다. 폐의 경련이 가라앉기도 전에 주변을 둘러봤다. 기댄 건물에 빨갛게 빛나는 간판이 달려 있었다. 안에서 팝콘 냄새가 풍겼다. 영화관이라면 낮에도 밤에도 몸을 숨기기 좋았다. 손으로 모자를 꾹 눌러쓰고 주위를 확인하며 뒷걸음질 쳤다. 등 뒤로 문이 열리며 몸이 일시 휘청였다. 자영은 곧 안으로 빨려 들어가듯 사라져 버렸다.

◑

유난히 지겨워 짜증까지 났다. 평소라면 잠에 들어야 할 때 하품을 참아가며 영화관을 찾은 건 장면이 노골적이라는 평이 있는 성인 영화의 상영 시각 때문이었다.

그런 걸 보는 남자들은 예상이 갔다. 벗겨진 머리, 불룩 튀어나온 배, 간지러운 사타구니. 그에 반해 여자들은 도통 그려지지 않았다. 윗 가슴을 다 드러내는 옷, 진한 립스틱, 이리저리 흔들며 걷는 엉덩이? 어떨지 궁금해 일찍 가서 앉아 있다가 누군가 들어온다 싶을 때마다 입구 쪽으로 고개를 돌렸다. 하도 획획 돌려 목뼈가 뻐근할 지경이었다. 그런데 다른 상영관과 크게 다르지 않았다. 들어오는 여자들을 볼 때마다 그녀가 그리워졌다. 광고가 나오는 내내 기다렸지만 결국 가슴을 두근거리게 하는 모습은 없었다.

내가 실망하거나 말거나 영화는 예정되어 있던 대로 시작했다. 시작한 지 얼마 되지도 않아 거대한 젖꼭지가 화면을 가득 채웠다. 위아래로 출렁거리는 모양새에 잠깐 집중했다가 흥이 식어 고개를 돌렸다. 색이 진한 젖꼭지였다. 그녀가 가질 법한 가슴이 아니었으므로 별 흥미가 가지 않았다. 피곤해 눈을 감았지만 신음 소리가 얼마나 큰지 공간을 메우는 게 앞에 보이는 것 같았다. 곧 잠들기를 포기하고 관객석을 노려보았다. 영화의 두 주인공이 몸을 움직일 때마다 따라서 뒤척이는 사람이 한 명. 점점 각자 좌석의 끝부분으로 움직이며 서로 멀어지려 하는 남녀가 하나. 그중 여자에게 눈을 떼지 않고 바지와 팬티를 끌어 내렸다. 아직 주름지고 힘없는 상태인 기둥을 공기 중에 노출했다. 나를 원하지 않고 내가 원하지 않는 여자와의 하룻밤. 끔찍한 생활이었다. 나 자신이 불쌍해 잠깐 풀이 죽었다. 그러나 이내 떨쳐 내고 그녀를 떠올리며 눈을 감을 찰나였다. 스크린에서 뿜어져 나오는 듯한 빛 아래로 한 사람이 고개를 숙인 채 들어왔다.

바람이라도 불어오는 것처럼 날려 보내고 싶지 않은 듯이 한 손으로 모자를 푹 누르고 있었다. 구부정한 자세에도 키가 무척 커 보였다. 게다가 품이 큰 코트까지 걸쳐 처음에는 왜소한 남자라고 생각했다. 하지만 무언가 찾듯 관객석에 힐끗 던진 눈빛. 모자 그림자 밖으로 잠깐 노출되어 번뜩이는 눈동자. 그걸 보는 순간 내가 아주 오랫동안 찾아 헤맨 것이 바로 그것임을 깨달았다. 코트 속 그녀에게는 날카로우면서도 어딘가 애처로운 면이 있었다. 다른 사람은 절대 알 수 없을 비밀을 꼭꼭 숨겨둔 여자의 연약함. 비밀을 파헤치고 싶게 하는 신비감. 일단 발견하자 두꺼운 겉옷으로도 숨길 수 없는 윤곽이 눈에 들어왔다. 둥근 어깨, 말라서 천을 지지하지 못하는 허리. 그 허리를 쥐어 흔적을 남기고픈 욕망이 불꽃처럼 피어올랐다. 하지만 이내 식혀야 했다. 만지는 것은 능력 밖이었다. 나는 언제나 그들 밖에 있었다. 머릿속에서의 몇 분. 그것만이 허용되어 있었다.

무력한 느낌에도 흥분은 일어났다. 한 손으로 어느새 빳빳이 서 있는 성기를 붙들었다. 이미 묽은 액체가 넘실거리고 있었다. 몇 번 쓰다듬었을 뿐임에도 금방 넘칠 것 같았다. 오랜만에 느끼는 정열이었다. 권태는 지워지고 몰입이 자리를 채웠다. 눈을 감고 잔상을 음미하던 그때, 나는 손을 멈추고 재빨리 성기를 바지 속에 도로 집어넣어야 했다.

그녀가 서서히 계단을 걸어 올라오고 있었다. 점점 더 내게 가까워지더니 고작 몇 걸음 떨어진 옆을 지나쳐 갔다. 곁을 스칠 때 차가운 가을바람의 냄새가 났다. 텁텁한 영화관 공기와는 완전히 다른 냄새였다. 향수라고는 생각할 수 없이 독특했다. 살에서 나는 냄새 같았다. 그것을 깊이 빨아들이자 목덜미에 코를 박은 듯한 착각까지 들었다. 그리고 그녀 안에 침입한 것처럼 허리가 저절로 움찔거렸다. 그녀가 입은 코트 자락이 손안에 있다면 더 바랄 나위가 없을 것 같았다. 그걸로 내 몸에 그녀 냄새를 묻히고 그녀에게는 내 냄새를 묻히는 것. 나의 것으로 더럽히는 것. 그것밖에는 바랄 게 없었다.

과분한 상상 속에서 헤매었다. 와중에 뒤에서 부스럭거리는 소리가 들려 왔다. 아주 가까운 뒤쪽이었다. 슬쩍 뒤를 돌아보았다. 오른쪽 대각선으로 두 자리 옆에 그녀가 앉아 있었다. 믿을 수 없어 입이 벌어졌다.

영화가 한창 클라이맥스를 향해 달리고 있는데도 신경이 온통 뒤에 쏠렸다. 영화 속에서는 이미 일곱 번쯤 정사가 지나갔지만 나는 단 한 번도 싸지 못하고 있었다. 서지 않아서는 아니었다. 오히려 참기가 어렵게 힘이 들어가 있었다. 이렇게 된 건 모두 하필이면 내 뒤에 앉은 그녀 때문이었다. 그녀가 자리 잡은 직후 힐끗 바라보고 나서는 좀처럼 용기가 나지 않았다. 돌아보기는커녕 이제는 일상이 된 자위조차 하지 못할 정도로 간이 콩알만 해졌다. 등 뒤에서는 내가 반드시 봐야만 하는 무슨 일이 일어나고 있는 것 같았다. 간절하게 정면만 바라보면서 그게 무엇인지 상상할 수밖에 없었다. 야한 영화, 얼굴을 숨기고 들어온 여자, 대사를 뚫고 뒤에서 희미하게 들려오는 신음. 신음의 진원지인 그녀가 정말 지금 내가 짐작하는 그런 여자라면 수년 전처럼 그냥 놓쳐서는 안 됐다. 뭐라도 해야 했다. 치열하게 고민하는 와중에도 뒷자리에서는 끊임없이 나를 괴롭혔다.

귀를 때리는 영화 소리에 비해 거기 섞이는 음성은 깃털 같다는 인상까지 주었다. 견딜 수 없이 부드럽게 내 바지 속을 간지럽히는 깃털. 독특한 목소리라서 참기가 더 힘들었다. 욕망을 억누르듯 어쩔 수 없이 흘러나오고 있었다. 약간은 쉰 듯한 숨소리에 가까웠다. 내가 들어갈 때도 저런 목소리를 낼지, 이전에 그녀의 몸을 왕복해 저런 목소리를 끌어 낸 남자가 있을지 궁금했다. 그 남자가 있다고 생각하니 주먹을 꽉 움켜쥐게 되었다.

아무리 시간이 지나도 여자의 신음은 그치지 않았다. 그동안 내 흥분도 파도처럼 들이닥쳤다가 물러나기를 반복해서 거의 미쳐버릴 지경이었다. 팬티는 이미 가운데가 푹 젖어 있었다. 긴 점퍼를 가져오는 것은 잘한 결정이었다. 여전히 이를 악물고 참고 있었다. 그러다 문득 그녀가 나를 보며 자위하고 있다는 생각이 머리를 스쳤다. 하고 보니 제법 합리적이었다. 주위에 사람은 나뿐이고 저 멀리 앞에는 아무래도 볼 만한 것이 없었다. 영화가 아무리 자극적이라고는 하나 한순간도 끊임없이 정사만 나오는 저질은 아니었다.

그러니 그녀의 반찬은 다름 아닌 나. 잔뜩 발정 나서 손잡이를 긁어대고 있는 나일 터였다. 시험해 보기 위해 천천히 바지를 내렸다. 천에 눌려 있던 것이 해방되며 갑작스럽게 튕겨 나왔다. 건드리지도 않았는데 혼자 까딱거렸다. 뒤에서는 보지 못했는지 큰 동요가 없었다. 오히려 맘이 편했다. 숨을 깊게 내쉬고 기둥을 붙잡았다. 천천히 왕복을 시작했다. 이번에 떠올린 것은 하늘하늘한 원피스가 아니었다. 대신 두껍고 다

소 거친 면이 있는 코트 자락이었다. 그리고 그 안의 몸. 가늘지만 탄탄한 구석이 있는 몸이었다. 어디를 만지든 만질 맛이 나는 탄력 있는 피부. 작지만 모양이 예쁜 가슴. 빈틈없이 쓸어내리고 쥐어짜듯 감쌌다. 그녀의 안처럼 손에 힘을 주고 움직이다 보니 어느새 사정이 가까워졌다. 다급하게 음료수통을 집어 들고 받쳤다. 그 순간 견딜 수 없어 뒤를 돌아봤다. 여자는 어떤 얼굴을 하고 있을지 보고 싶었다. 얼굴을 보고 뿌연 액체를 쏟아 내며 나는 몽롱해지는 정신을 느꼈다.

여자는 틀림없이 허리를 휘며 절정을 맞고 있었다. 보게 되리라 기대했던 부분, 다른 어느 부분보다도 더 많이 쓰다듬었던 부분은 천과 그림자에 덮여 있었지만 스크린 빛에 노출된 목만큼은 이제껏 본 중 가장 아름다웠다. 흐트러진 옷깃에서 벗어나 활짝 피어난 목뼈. 창백한 파란색이었다. 무언가 갈구하듯 벌어진 입에서 마침 작은 비명이 새어 나왔다. 그걸 듣자 텅텅 비었다고 생각한 성기가 다시금 솟아올랐다. 벌린 입술에 넣고 여자의 빈속을 채워 주는 생각. 그러면 그녀도 나도 충만해질 것이었다. 아픈 듯 슬픈 듯 소스라치는 모양에 잠시 멍하니 넋을 놓고 있다가 여자가 자세를 가다듬고 나를 보기 전 재빨리 고개를 돌렸다.

옷매무새를 추스르고 몇 분 정도 무엇을 해야 적절할지 고민했다. 나와 상상 속의 그녀가 연결되는 미묘한 상황은 겪어 본 적 없었다. 여자의 마음을 상하게 해서는 안 되었다. 몸을 돌려 눈을 맞출까? 아무 일도 일어나지 않았던 척할까? 아니면 옆에 가서 앉을까? 그래, 옆에 가서 앉자. 가서 앉아 손잡이를 쥔 여린 손 위에 내 손을 올리는 거야. 이번에도 놓치고 이후 몇 년이나 그녀의 그림자와 함께 지낸다면 그것보다 눈물 나는 일이 없었다. 마음먹고 일어서려 했다. 그때 옆에서 아까 맡았던 바람 냄새가 불어왔다.

그녀가 코트를 입고 모자를 쓴 채 들어올 때와 똑같은 모양으로 관을 떠나고 있었다. 혼란스러웠다. 분명 아주 잠깐이지만 그녀도 내게 매혹당했다고 여겼다. 그런데 돌아온 것은 아무 미련도 없이 나가는 뒷모습. 이번에도 또 이렇게 되었다. 인생에 다시 없을 기회를 날렸다는 생각에 망연자실해서 눈을 감았다. 동시에 대사 한 줄이 귓속을 파고들었다.

"가지 마, 아직. 빼면 죽여 버릴 거야. 그래. 응, 좋아. 와 줘, 와 줘, 아!"

정신없이 내뱉는 여자의 말대로 가지 않으려고 힘껏 노력하는 남자의 얼굴은 무지 괴로워 보였다. 하지만 마지막 여운이 깊은 탄성은 내게 깨달음을 주었다. 그녀가 보기와는 다르게 부끄러움이 많을 가능성. 노력해서 떠올려 보니 내게 와 달라고 수줍어하며 속삭이는 장면을 생생히 그려 낼 수 있었다. 그토록 애달팠던 절정. 여성 절정은 동영상에서 셀 수도 없을 만큼 많이 봤다. 그중에서도 그녀의 그것처럼 간절해 보이기까지 한 건 없었다. 그러니 그녀가 나를 원한다는 건 당연한 사실. 내게는 거절할 이유가 없었다. 둘이 하필이면 같은 관에서 만나 하필이면 같은 순간에 쾌락을 경험하다니 분명 운명이었다. 그녀가 관 밖에서 나를 기다리고 있다는 예감이 들었다. 몸이 달아올라 영화가 끝날 때까지 기다리지 못한 게 틀림없다. 나가자마자 밖에서 밀회를 즐길 요량인지도 몰랐다. 그녀의 탁한 목소리가 와 달라고 외치는 듯했다. 실제로 들을 생각에 자리를 박차고 일어났다. 날이 추워 잘 서지 못하고 쪼그라들 수도 있을 것 같았지만 적어도 시도는 해 봐야 했다. 평생 단 하나뿐일지도 모를 사랑. 이대로 놓칠 수는 없었다.

일찍 쏟아내 버리는 바람에 잔뜩 움츠러든 남자와 화난 기색의 여자가 교차해서 비치는 화면을 뒤로했다. 성기에서 빠져나온 액으로 젖은 팬티가 불쾌하게 달라붙는 와중에도 허리를 펴고 당당하게 걸었다. 나는 더는 아무 의미도 없는 입자 하나가 아니었다. 어떤 여자에게 최고의 순간을 안겨 주어 그녀에게 더없이 소중하게 된 존재였다.

영화관 밖에서 간신히 발견한 여자의 코트 끝자락. 역시 내가 따라잡을 수 있도록 조금 기다려 주고 있던 게 분명했다. 밖으로 삐죽 튀어나온 모자 끄트머리가 귀여웠다. 따라잡으려고 뛰듯이 걸었다. 그런데 이상하게도 잡힐 듯 말 듯 잡히지 않았다. 아무리 빠르게 걸어도 거리가 줄어들지는 않고 오히려 더 멀어진 것처럼 보였다. 설마 이것이 '나 잡아 봐라' 놀이인 걸까? 그녀를 잡으면 요구하는 게 무엇이든 들어줄 것이었다. 속으로는 원할 테니 잡혀 주지 않을 리도 없다. 그런 다음에 시작되는 건 헨젤과 그레텔식 숨바꼭질일 터였다. 빵가루를 대신해 이정표가 되는, 그녀 다리 사이로 끝없이 흘러내리는 나의 흔적. 약간 사그라들었던 의욕에 장작을 넣어 걸음을 빨리했다.

힘껏 팔을 흔들며 걷느라고 주머니에서 빼낸 손이 슬슬 시려웠다. 아무래도 뭔가 잘못되었다. 앞서는 뒷모습이 잡는 건 꿈도 꾸지 말라는 듯 점점 빨라지고 있었다. 오기가 생겨 웬만하면 맞춰 주겠다는 생각도 어느새 흐려졌다. 어깨를 잡아 세우고픈 의욕만 가득했다. 정신 차려 보니 어느새 달리고 있었다. 어찌나 오래 달렸는지 평소 잘 쓰지 않는 근육과

폐가 아려왔다. 쫓아서 수많은 갈림길을 지났다. 몇 번이나 방향을 틀었다. 지치면 지칠수록 배경은 눈에 잘 들어오지 않았다. 집념만이 남아 모자만 선명했다. 잘 공급되지 않는 산소 때문인지 머리가 멍해 거미줄 같은 골목길 깊숙이로 들어가고 있다는 것도 알지 못했다. 끝내는 솟아오르던 욕정도 애정도 다 날아가 버렸다. 대신 참을 수 없이 애가 탔다. 가지고 싶었다. 심지어는 복수하고 싶은 마음까지 들었다. 나를 이렇게 힘들이게 한 그녀에게 심하게 대해서 내 노력을 알리고 보상을 받고 싶었다. 내 혹사한 하반신을 애무하도록 하는 것도 좋은 발상이었다. 그러기 위해서는 어쨌든 따라잡아야 했다.

낯선 길 끝 막다른 곳에서야 팔을 쭉 뻗어 가까스로 닿았다. 이제는 도망칠 구석이 없었다. 몹시 의기양양해서 어깨를 쥐고 몸을 돌리게 했다. 가냘픈 뼈대. 나를 거역할 리 없었다. 이 낭창한 몸이 내게 무엇을 줄지 기대되고 또 너무나 힘들어서 나도 모르게 혀를 내어 입술을 핥았다. 그러다 다음 순간에는 그대로 깨물 뻔했다.

"너 뭐야?"

목소리는 아까처럼 약간 탁하고 낮았다. 나를 보는 눈빛도 한순간 본 것처럼 강렬했다. 하지만 예상하지 못한 것. 이마에 와닿는 총구의 차가움. 마침내 잡았다는 성취감이 잦아들었다. 발사된 총알이 내 이마에 박히리라는 공포는 아니었다. 총이 진짜일 가능성은 없었다. 밤의 희미한 빛으로 인해 빛나는 것처럼 보이는 은색 표면은 그럴듯했지만 기껏 해봤자 스프레이 도색일 것이었다. 화가 날 지경이었다. 나를 밖으로 유혹한 건 그녀였다. 내가 유혹한 적은 없었다. 계속 그녀의 비위를 맞춰 준 내게 돌아오는 게 이런 애들 장난 같은 위협이라니. 울분이 올라왔다.

"나한테 왜 이래요? 아까 영화관에서 분명히 나 보고 오랬잖아."

소리치듯 말하고 잠시 기다렸다. 여자의 눈은 놀라서 동그랗게 커져 있었다. 겁을 집어먹었나 보았다. 화를 누그러뜨리고 말을 이어 나갔다.

"이것만 말해. 너 갔어, 안 갔어? 난 너 때문에 쌌어. 네 눈 보고. 응? 이게 완전히 단단해졌다고."

바지춤을 붙잡고 흔들면서 호소했다. 그녀는 얌전한 태도로 내 말을 듣고만 있었다. 내 마음이 전해진 것도 같았다.

"자, 그러니까 이제 이거 치우고……."

이마에서 떼어 내려고 총구를 쥐려 손을 들어 올릴 때였다. 탕. 영화나 드라마에서밖에 들어 본 적 없는 소리가 귀청을 울렸다. 워낙 거리가 가까워 한쪽 귀가 먹어 버린 것 같았다. 정말 총소리라는 걸 믿는 데도 시간이 걸렸다. 총구가 내 이마를 벗어나 향한 곳. 낡은 담벼락. 주변에 빛이 없어 윤곽만 알아볼 수 있었지만 그걸로 충분했다. 금이 가서 튀어나온 벽돌 하나. 빠진 자리에서 계속해서 떨어져 내리는 부스러기들. 그녀가 쥔 건 장난감 따위가 아니었다. 맘만 먹으면 날 죽일 수도 있는 무기였다. 깨닫자마자 온몸이 사시나무 떨리듯 떨렸다. 총은 다시 내 이마를 향해 겨눠져 있었다. 제대로 생각하기도 전에 말이 속사포처럼 쏟아져 나왔다.

"욕해서 미안해요. 정말이에요. 그런데요. 우리 영화관에서는 분명히 서로 통했잖아요. 네? 당신도 느꼈잖아요. 여자들 가면 부들부들 떠는 거. 했죠? 맞죠? 내 눈으로 똑똑히 봤는데, 왜. 일단 이것 좀 치워 주면 안 돼요? 나 너무 무서워서 그래요. 억지로 하자고 안 할게요. 그냥, 그냥 당신이 너무 좋아서……. 너무 예뻐서 그랬어요. 그러니까 제발."

말을 마치기도 전에 다시 한번 나는 총소리. 순간 머리통에 총알이 박힌 줄 알았다. 힘이 풀려 털썩 주저앉았다. 바지가 뜨끈하게 젖어 들어갔다. 김이 모락모락 피어나고 지린내가 올라왔다. 파들거리는 손으로 이마를 더듬었다. 상처 하나 없이 매끈했다. 고개를 돌려 팔뚝을 내려다보니 점퍼에서 하얀색 내용물이 빠져나가고 있었다. 길게 찢겨 생긴 틈이 있었다. 살에까지 총알이 파고들었을까 봐 불쑥 겁이 났다. 그러나 확인하기도 전에 그녀의 신발이 내 신발을 툭 쳤다. 깜짝 놀라 다리를 움츠렸다.

"꺼져. 빨리."

황급히 고개를 끄덕이면서 무슨 일을 당하기 전에 재빨리 일어났다. 아직 힘이 들어가지 않아 몇 번 휘청거렸다. 겨우 똑바로 선 후에는 뒤도 돌아보지 않고 뛰려고 했다. 그러다가 넘어져 무릎이 땅에 세게 부딪혔다. 욱신거리는 데도 급한 마음에 절뚝거리면서 뛰었다. 오줌이 벌써 식어 바지가 차가워졌다. 그 안에서는 나의 가엾은 성기가 무척이나 오그라들어 있었다.

●

도음은 멀리서 두 번의 총성을 들었다. 자영의 것임이 틀림없었다. 어쩌다가 총을 쓰게 되었는지 궁금했지만 이내 고개를 저었다. 상상할 시간은 없었다. 자영이 또다시 도망치기 전 찾아내야 했다. 도망치게 둬도 언젠가는 잡힐 테지만 오래 끌고 싶지 않았다. 빠르게 뛰어 소리가 난 곳으로 갔다.

자영은 거기 기다리고 있었다. 그가 들어간 입구 말고는 도망갈 구석이 없어 보이는 곳이었다. 담벼락을 뛰어넘으려고 해도 넘어가기 전에 상대에게 칼을 맞을 게 확실했다. 그런 곳에서 그녀는 도망치려는 시도도 하지 않은 것처럼 서 있었다. 흔들리지 않게 꽉 쥔 총이 자신을 향하고 있어 그는 두 손을 들어 보였다. 그리고 한쪽을 천천히 품속에 넣어 총을 꺼냈다. 그대로 바닥에 떨어뜨렸다. 달그락 소리가 났다. 이윽고 자영도 똑같이 했다. 도음은 웃음을 터뜨렸다. 상처 입고도 원칙주의자인 자영. 너무 예상 그대로였다.

"선배, 뭐 좀 묻자."

외치는 소리에 도음이 해 보라는 듯 고개를 끄덕였다.

"정말 눈물 때문이야?"

"뭐?"

"이렇게 된 거. 정말 눈물 때문이냐고."

"응, 뭐. 그렇지. 나도 보고하면서 부끄러워 죽는 줄 알았다니까? 울지 말라고 그렇게 가르쳤는데."

"닥쳐. 알겠으니까."

자영이 말을 끊고 날이 길지 않은 칼을 꺼내 자세를 취했다. 아무 동요도 없이 고요한 얼굴을 보자 도음의 속이 뒤틀렸다. 감정을 억누르고 그녀처럼 칼을 꺼내 들었다. 곧 두 사람이 서로에게 달려들었다.

몇 번 맞고 몇 번 때렸다. 둘의 칼은 이미 서로에 의해 멀리 쳐내어졌다. 평소의 자영이라면 승패를 점치기 어려웠을 테지만 배에 입은 상처가 너무 컸다. 더군다나 도음은 자기가 만든 상처를 잊는 사람도 아니었다. 상영관에서 고통을 참아가며 가까스로 지혈에 놓은 위를 그의 손가락이 세게 짓눌렀다. 헤집고 싶어 안달 난 손길이었다.

"뭘 하긴 해 놨네? 영화관에서 그대로 죽을 줄 알았는데."

귀에 대고 속삭이는 말에 이를 악물었다. 고통에 기절하지 않으려 버티면서 아까 빠진 벽돌을 들고 그를 반복해서 내리쳤다. 박살 나서 거의 가루가 될 때까지 내리치고 나서야 상처가 자유로워졌다. 도음의 머리에서 피가 줄줄 흘러내렸다. 피가 눈에 들어와 따끔거려 아예 감아 버렸다. 그러고는 조금 휘청거리는가 싶더니 기합을 넣으며 자영에게 달려들었다. 그 기세에 그녀의 머리가 벽에 세게 부딪혔다. 더 버티지 못하고 쓰러진 자영 위에 도음이 올라탔다. 체중으로 움직이지 못하게 고정하고 두 팔을 머리 위로 들어 틀어쥐었다.

도음이 숨을 끊기 위해 한 손만 내려 맥박이 빠르게 뛰는 자영의 목을 감쌌다. 곧바로 숨통을 조이려고 했다. 손에 서서히 힘을 주다가 야릇한 생각이 들어 멈추었다. 그녀는 맞아서 한쪽 눈이 붓고 입술이 터진 형편없는 꼴이었다. 그 꼴을 자신이 만들었기 때문인지 아니면 아까 그녀를 따라 들어간 영화관에서 보게 된 장면 때문인지, 그런데도 묘한 욕정이 일었다. 어두운 한 구석에서 피를 막느라 스스로 상처를 짓누르며 고통에 몸서리치던 모습. 순간 완전히 노출되어 있던 흰 목. 그게 지금 손안에 들어와 있었다. 발버둥 치며 저항하는 것마저도 도음을 자극했다. 갑자기 이대로 자영을 죽여 버리는 것이 아깝게 느껴졌다. 목에서 손을 떼고 이름을 부르자 그녀가 천천히 발버둥을 멈췄다.

"들어 봐. 내가 지금부터 뭘 할 건데, 네가 얌전히 있으면 좋겠어서 그래. 넌 덜 아프고 몇 분 더 살고, 나는 뭐…… 즐기는 거지."

"씨발. 알아듣게 말해."

도음은 얼굴에 튄 자영의 침방울을 옷소매로 닦아 내며 화를 가라앉혔다. 아무 말 없이 벨트 버클을 풀었다. 처음에는 혼란스러워 보이던 자영의 얼굴이 가죽 꼬리가 공기를 가르는 휙 소리를 낼 때쯤엔 하얗게 질렸다. 반항할 생각도 못 하고 힘이 빠져 있는 게 맞닿은 피부 너머로 느껴졌다. 만족스러워 입 맞춰 주려고 고개를 숙였다. 자영을 제압하고 있던 손이 도음 자신도 모르는 새 그녀의 얼굴을 감싸기 위해 아래로 내려갔다.

그가 목에서, 정확히는 턱이 끝나고 목이 시작되는 지점에서 뜨거운 열기를 느낀 것은 그와 거의 동시였다. 자영은 풀려나자마자 손을 움직여 주머니에서 두 번째 칼을 꺼냈다. 그녀의 반칙, 두 번째 칼은 도음이 조금도 예상치 못한 것이었다. 자영이 살기 위해 어디까지 할 수 있는지 깨달았을 즈음에 그는 자영의 몸에서 굴러떨어져 쏟아져 나오는 피를 멈추려고 안간힘을 쓰고 있었다. 손가락 사이로 피가 맥박에 따라 울컥울컥 치솟았다. 피가 빠져나갈 때마다 인상을 찌푸렸다.

자영은 잔뜩 쑤시는 몸을 일으켰다. 성한 구석이 없었다. 허리를 곧게 세우고 불어오는 바람을 맞자 어릴 때부터 특히 메말랐던 눈 표면이 시렸다. 몇 번 깜빡이자 종종 그랬듯 눈물이 흘러내렸다. 실핏줄이 다 터진 눈 위를 닦지도 않고 아직 컥컥거리는 도음을 내려다봤다.

"선배, 나 안구건조증이야."

멀리 떨어져 있던 총을 주워 그에게 대고 쐈다. 쭈그려 앉아 먼저 아직도 앞을 바라보고 있는 눈을 감겨 주었다. 입안의 터진 상처를 혀로 더듬자 짭짤한 맛이 났다. 입맛을 다시다가 있는 가래를 다 모아 생각을 멈춘 그의 머리에 대고 뱉었다. 살짝 분홍빛이 도는 걸쭉한 액체가 동그란 구멍 위로 흘러내리고 굳은 뺨에 달라붙었다. 자신의 액체가 그의 안으로 들어가는 모습에 기분이 좋았다. 온몸에 소름이 돋았다.

다시 어디로든 걸어야 했다. 도음의 것까지 총 두 정과 칼 세 자루를 주머니에 채워 넣었다. 든든한 무게였다. 시계를 보니 밤이 끝나기까지는 아직도 몇 시간이 남아있었다. 해가 뜨기 전까지는 코트를 단단히 여며야 할 것 같았다. 자영은 모자를 다시 쓰고 옷깃을 세웠다. 여기저기 먼지를 털며 골목을 한 번 돌아본 뒤 걸음을 옮겼다. 싸늘한 몸뚱이, 끈적하고 냄새나는 액체에 젖은 몸뚱이를 남겨 두고서.

드라우닝

ㅇ

정해인

낡은 세탁기가 작동을 멈췄다. 평생 돌아간 탓에 습관이 된 모양인지 멈춰 있는 지금도 돌아가고 있는 것 같았다. 그런 세탁기가 마치 눈알처럼 감시하면 못된 짓을 숨기게 된다. 어쩔 수 없이 행한 일을 제외하면 그런 짓도 없었다. 어쩔 수 없다는 말에 의문을 품게 되면서도 이 식에서의 규칙. 죄인은 죄의 흔적을 숨기지 말 것. 어차피 세탁기는 돌아가는 척 연기할 뿐 우리를 지워 줄 수 없다. '임대' 그 아래 4가 세 번 들어가는 전화번호가 불규칙적으로 붙어 불이 꺼진 세탁방은 아무도 열어 볼 생각을 하지 않는다.

매달이 시작하기 4일 전, 구석진 셀프 세탁방에서 시구와 만난다. 국내 포털 사이트에 검색해도 나오지 않는 그곳은 칠 년 전 구글 리뷰만 하나 남긴 폐세탁방이었다. 심지어 그 리뷰도 '급해서왔는데 세탁기 안에서 쿰쿰한냄새 남'인 세탁방. 그곳에 가기 위해서는 삼거리 편의점 주인

아저씨의 낡은 담배 향을 지나야 했고 로또방 앞 노인들의 정치 욕을 지나야 했으며 아무도 없는 공포 게임 스테이지 같은 길을 지나야 했다. 그런 길을 지나면 지난달을 두고 다른 달을 시작할 이유를 얻었다. 시계도 없이 항상 약속된 새벽 3시 45분에 도착하는 시구의 걸음.

*

시구를 만나고 나서 한참이 지나서야 그 애의 이름을 알게 되었다. 우리의 규칙 중 하나는 신발과 그 달에 얽힌 신발 이야기 외에 어떤 것도 발설하지 않는 것이기 때문이었다. 서로의 사는 곳은 물론이고, 어떻게 이 구석진 세탁방을 오는지도 숨겨야 했다. 그래서 교환식이 끝나고 집으로 돌아가는 길에도 절대 뒤를 돌아보지 않았다. 할 이야기가 적어 어두운 새벽에 끝나는 날에도, 할 이야기가 많아 푸르고 붉은 아침에 끝나는 날에도. 세탁방의 문을 열고 함께 나오면 손을 흔들고, 나는 오른쪽으로, 시구는 왼쪽으로 걸어갔다. 아르바이트하던 학원 이름을 말하고 싶었던 날에도 이 규칙은 지켜야 했다. 원장이 마음에 안 드는 그곳을 말하면, 어느 날 시구가 지나가다 문득 내 생각을 하지 않을까 싶었다. 그러자 시구는 내 생각이라도 읽은 듯, 손이 놓인 나무 탁자 바로 옆에 콩하고 딱밤을 때렸다. 괜히 내가 맞은 것 같아서 입을 얌전히 다물었다.

그랬던 시구가 자신의 이름을 밝힌 건 지난겨울, 크리스마스를 보내고 만난 교환식이었다. 제 발보다 작은 신발을 욱여넣은 시구는 비틀거리면서 설탕 같은 길바닥을 지나오고 있었다. 밟은 곳마다 부서지는 길이었다. 괜히 시비 걸고 싶어진 나는 시구에게 물었다.

"너무 작은 거 아니냐?"

가까이서 본 신발은 더 우스웠다. 노란 캔버스화가 불쌍한 정도로 시구의 발에 꽉 꼈다. 눈 덕분에 구석구석 색의 변화들이 어우러져 더 그래 보였다. 시구는 의자에 앉자마자 발에 맞지 않는 노란 캔버스화를 벗었다. 발로 던졌다는 표현이 더 어울렸다. 시원하다는 듯 얇은 양말 신은 발을 앞으로 쭉 내밀었다. 그리고는 내게 대답했다.

"어렸을 때 신던 거라 그래."

발끝에서 아슬아슬하게 걸려 있던 캔버스화가 시원하게 떨어지자, 그 사이로 어색한 이름이 보였다. 이시구. 어쩜 네 이름은 아래로 떨어지는 모음들만 가득한지. 처음에는 시구가 진짜 이름인 척 장난을 치는 줄 알고 진짜냐고 물었다. 그동안 이름으로 놀림받은 적이 많은지 시구는 금방 인상을 썼다. 세탁을 기다리면서 앉아 있으라고 둔 주황색 플라스틱 의자에서 벌떡 일어나서 내게 반박했다.

"가짜 같아?"

더 놀리고 싶은 마음만 가득해졌다. 시구의 표정이 세탁소의 불투명한 창문에 반사됐다. 세탁소 안은 전기가 끊긴 지 오래라 표정이 선명하지 않았다. 밖에서는 가로등이 랜덤으로 켜졌다가 꺼지고, 이 세탁소 안의 유일한 불빛은 불청객인 우리가 가져 온 손전등뿐이었다. 유리창 속 표정보다 더 보이지 않는 시구의 진짜 표정으로 시선을 돌렸다. 여전히 두 눈을 얇게 뜨고 노려보고 있었다. 솔직한 감상을 던졌다.

"닉네임 같아. 사람 이름이? 뜻이 뭐야."

"쯧."

시구는 내 말에 가볍게 혀를 차고 주머니에서 낡은 십 원을 꺼냈다. 십 원짜리 동전을 세우고 세탁소의 싸구려 합성 목제 책상을 긁었다. 십 원의 자국은 그대로 쌓여 네모, 네모 사이의 수직, 그리고 구를 만들어 냈다. 한자라고는 숫자 일, 이, 삼, 사 등만 아는 나를 위해 시체 할 때 시라고 소개해 줬다. 친절한 소개에 너 귀신이야? 따위의 질문으로 대답했다. 질 나쁜 학생이었다.

시구는 투덜거리는 듯 받아쳤다.

"나도 내 이름 마음에 안 들어."

"난 네 이름 마음에 안 든다고 말 안 했어. 신기하다고 했지."

"숨겨진 반응이 있어."

"야, 근데 내 이름도 웃겨."

은근슬쩍 내가 불리는 자음과 모음을 털어놓고 싶었다. 고작 세 글자니까. 시구가 제 입에 손을 가져다 댔다. 순간 반항심이 올라왔다. 원래 우린 신발과 관련한 이야기가 아니면 서로 아무것도 몰라야 하는데. 규칙 위반은 본인이 해 두고 쉿 소리를 내는 게 순간 얄미웠다. 지적하면 또박또박 반박하는 사람들처럼.

"아니, 너도 말했잖아."

"나는 어쩔 수 없었잖아. 신발 급하게 신고 나왔더니 그래. 신발에 이름 써져 있는지도 몰랐어. 그리고 이것도 신발에 관련된 거니까 명백하게 따지면 규칙 위반은 아니지."

"……맞아."

"아니라니까? 왜 맞다고 생각하는데?"

잠시 시구를 쳐다봤다. 시구는 정말 규칙 위반이 아니라고 생각하고 있었다. 그 애의 당당한 눈빛이 그렇게 말하고 있었다. 당당함에 어설픈 반박은 어울리지 않는다. 나는 고개를 돌렸다.

"대답하기 싫어."

대답 대신 노란 캔버스화에 발을 집어넣었다. 신발을 신으면 나는 시구를 가장 잘 이해할 사람이 된 것 같았다. 남들은 모르는 감정을 가질 수 있었다. 시구는 항상 왼쪽의 레이스 루프에는 신발 끈이 전부 넣고 오른쪽에는 삐뚤빼뚤 마지막 루프에는 신발 끈을 빠트렸다. 나만 알고 있는 사실이었다.

내 모습을 본 그 애는 말없이 바닥에 가지런히 놓인 신발을 자기 쪽으로 끌어당겼다. 철 지난 상아색 어그 오른쪽에 짙은 갈색이 묻어 있었다. 시구는 갈색 위로 코를 가져다 대며 웃었다.

"똥 밟았냐?"

"아, 코코아야!"

서로의 신발로 갈아 신은 우리는 이번 달을 공유했다. 시구는 일주일 전에 문득 어려지고 싶어 열두 살 때 신던 신발을 신고 다녔다고 했다. 나는 배송비까지 포함하면 칠만 원이 훌쩍 넘어가는 새로운 겨울 신발을 사기에 다음 월급까지 시간이 너무 많이 남았다고 했다.

툭툭. 시구의 노란 캔버스화로 내 못난 어그를 치면서 불만인 말투로 말했다.

"며칠 전에, 엄마가 친구를 집에 데려왔는데. 머리 길고 좀 비실비실

한 사람. 하여튼 그 사람이 내 그림 보면서 엄마가 준 귤이랑 코코아를 먹더라. 분명 꼭꼭 숨겨 둔 그림인데 어디서 찾아서 보여 줬는지, 참. 화내다가 이렇게 됐어."

어그에 코코아가 묻은 건 일주일 전이었다. 집에서 돌아오자마자 현관에서 본 그 모습 때문에 신발도 벗지 않고 성큼성큼 다가갔던 그때. 광택도 사라진 것 같은 그 그림을 누군가 보고 있다는 사실만으로 속에서 무언가 끓고 있었다. 이름 모를 사람을 죽일 듯이 노려봤다. 거칠게 되돌려 받은 그림을 보고 엄마는 자리에서 벌떡 일어났다. 그때 떨어져 흐른 코코아는 뜨겁지도 않았다.

시구가 조심스럽게 물었다.

"네가 쏟은 거야? 그 드라마에서 물 뿌리는 것처럼?"

"넌 나를 뭐로 보는 거야."

웃긴 일이 아니었는데 웃음이 터졌다. 분명 그때는 화가 나서 손이 떨릴 정도였는데도 웃겼다. 시구의 말처럼 식은 코코아를 친구의 얼굴에, 혹은 망한 그림에 부어 버린 모습을 상상하자 웃음이 나왔다. 시구는 내 웃음을 따라서 웃기 시작했다. 조용한 세탁소 안을 웃음소리가 돌았다. 실실 웃으면서 다시 설명하기 시작했다.

"엄마 혼자 화나서 실수로 떨군 거지. 뭐라는지 아냐? 너 대신 자랑해 줬더니 왜 이래? 내가 뭐 네 흉을 보길 했어 뭘 했어."

엄마의 말투를 따라 하는 일이 생각보다 재미있었다. 평소보다 더 높은 음정으로 문장을 되새김하길 시작했다. 분명 엄마는 팔짱을 낀 적이 없었는데 팔짱까지 끼면서 따라 했다. 마치 시구가 일주일 전 나인 것처럼 째려보면서 따라했다.

“그러더니 친구한테는 뭐라는지 알아? 괜찮아? 다친 곳은 없지. 미안... 애가 예민해.”

말투를 바꾸는 일은 재밌지도 않은데 괜히 과장해서 다정하게 말했다. 문장 끝마다 몇 초씩 늘어지는 말들이 웃겼다. 괜찮아아. 없지이. 미아안. 시구는 특유의 짧고 빠른 말로 물었다.

“왜 보여 주신 거래?”

그러게. 왜 보여 준 걸까. 엄마의 미련인 걸까. 엄마는 과거에 미련이 많은 사람이었다. 드물게 엄마의 이야기에 귀를 기울이면 꼭 여전히 그때에 사는 것 같았다. 아빠는 바람나지 않아 가정에 충실하고 꼭 드라마에 나오는 아주 평범한 삶. 언젠가 그런 삶을 엄마와 함께 살았던 적이 있다. 주말마다 독특한 외국 요리를 해 주는 다정한 아빠는 엄마의 행복이었고 모두가 알아주는 미술 대학에 합격한 나는 엄마의 자랑이었다.

그게 깨지게 된 건 한 문화재단에서 주관한 공모전의 일이었다. 나는 며칠 밤을 새워서 만든 작품을 냈고 운 좋게도 수상할 수 있었다. 자랑이 습관인 엄마의 전화를 들으면서도 그게 마지막 작품이 될 줄 몰랐다. 모르는 전화번호로 문자가 오고, 함께 준비한 친구에게 전화가 온 이후에야 알았다. 표절 논란이 일어났다고 했다. 당황스러운 마음에 아무것도 하지 못 했다. 휴대폰을 켜면 온통 이야기를 해 보고 싶다는 말뿐이라는 사실이 나를 더욱 당황시켰다. ‘네가 그랬다고 생각 안 해.’라는 말로 시작하는 미리보기 뒤로 보이는 (...)들이 그 무엇보다 무거웠다. 진상 규명을 요구하는 언론사의 메일까지 이 모든 연락을 전부 읽을 수 없었다. 그런 나 대신 읽은 엄마는 전부 아니라고 했다. 그럴 일이 없다고. 그리고 그때 나와 엄마의 옆에는 아빠가 없었다. 아빠는 다른 곳에 더 집중한 듯했다. 재단과 이야기를 나누기 위해 탄 차 안에서는 보여서는 안 될 증거들이 나와 엄마를 맞이했다. 아빠에 대한 배신감보다도 먼저 든 것은 왜 하필 지금이냐는 생각뿐이었다. 엄마에 대한 걱정도 아닌 게 죄책감을 유발했다. 엄마는 아빠에게 변명을 요구했고, 아빠는 그마저도 포기하고 도망갔다. 수상은 당연히 취소됐고 다시 붓을 들 수는 없었다. 모든 선과 면을 훔친 것 같았다.

사실 내가 훔친 건 엄마의 일상이었다. 엄마는 그 이후로 행복과 자랑을 잃었다. 조용한 주말에는 즉석 밥이 전자레인지 속에서 돌아가는 소리만 들렸다. 시끄러운 평일에는 대학교에 학사 경고 우편이 왔다. 한 번만 더 받으면 그때는 제적이었다. 소음과 침묵 사이 엄마는 자꾸 어제를 기억했다.

"아직도 그때인 줄 알아서 그런가."

수많은 날들이 '그때'라는 두 음절로 정리되어 나갔다. 그리고 시구는 정리된 말들을 다시 풀어 이해한 듯 고개를 끄덕였다. 사실 교환식에 오기 전, 몇 번이든 코코아 향이 올라오면 다른 신발로 갈아 신고 싶었다. 이상한 교환식 규칙은 한 번쯤 어겨도 되지 않을까, 라는 생각이 들었지만 그러지 못했다. 더러워진 신발을 신고 세탁소의 반투명한 유리를 툭툭 치는 시구의 모습을 보면 그런 생각이 사라졌다. 시구는 흔적을 공유할 수 있는 사람만이 술래로 변할 수 있다고 했다. 그리고 난 그런 시구가 필요했다. 우리는 어떤 것도 알지 못했기 때문에, 마치 내 연극 세계에서 나라는 배역만 그 애를 만날 수 있는 것 같았다. 나는 독백극 같은 일탈 속에서 가장 솔직해지는 사람이었다.

뒤집은 휴대폰을 들어 시간을 확인했다. 새벽 다섯 시였다. 시계를 보니 더 졸렸다. 하품을 하자 전염된 듯 시구도 하품을 했다. 입을 몇 번 두드리더니 시구는 자리에서 일어나 내게 물었다.

"갈까?"

고개를 끄덕이고 함께 세탁소 밖으로 나갔다. 대부분의 교환식은 이 시간쯤 끝났다. 새벽 공기가 살짝 추웠다. 밤도 아침도 아닌 하늘이 우리를 마중 나왔다. 세탁소를 나와서 나는 왼쪽으로, 시구는 오른쪽으로 향한다. 나는 시구와 마주 본 채 손을 흔들었다.

"가."

"응. 너도 잘 가."

"담 달에 봐."

그리고 우리는 뒤를 돌아 앞만 본 채 서로의 집으로 다시 돌아갔다. 중간에 뒤를 돌아 잘 가고 있는지 확인하지도 않았다. 마치 미련 없는 사람들처럼 인사했다. 한 달 뒤에도 똑같이 잘 가, 하고 손을 흔들 것을 알았다. 그때도 똑같이 미련 없이 뒤를 돌아 서로의 일상으로 돌아갈 것을 알았다.

*

오늘은 문득 초등학교 때 꿈을 꿨다. 이름이 기억나지 않는 그 시절 친구들이 나왔었다. 안경 쓴 반장, 거짓말을 잘했던 단발머리, 모두가 좋아했던 장난 많은 애. 작아진 책상이 어색한지도 모르고 가만히 교실에 앉아 있었다. 몸만 돌아간 거였는데도 정신까지 어려지는 기분이었었다. 머리로는 출근 전에 할 일을 다 끝냈는지 생각하면서도 출근을 왜 해야 하더라, 이런 생각도 했었다. 하얀 실내화를 보면서 시구에게 이 신발을 가져다 주면 재미있겠다, 그렇게 느끼면서도 시구가 누구더라, 이런 생각을 했었다. 단발머리 서경이는 생각에 빠진 내 손을 잡아 경찰과 도둑 놀이를 하자고 했었다. 학교 근처 저수지에서 친구들이 기다리고 있다며 재촉했었고 나는 그 재촉에 익숙했었다. 자주 일어났던 일. 나는 수긍해서 서경이를 따라 교실 밖으로 나섰었다. 옆 반 수아는 별로 좋아하지 않는데, 안 왔으면 좋겠다, 따위의 생각을 하면서. 사실 친구들의 이름을 잘 기억했다.

그리고 꿈에서 깼다. 꿈에서 깨고 시작된 아침. 엄마는 기분이 좋아 보였다. 흥얼거리는 엄마의 노래로 시작됐다. 밝은 엄마는 오랜만에 봐서 낯설었다. 무슨 일이 있나. 의심 아닌 의심을 했다. 출근을 준비하는 내 방에서도 알 수 없는 엄마의 노래는 들렸다. 발랄한 박자를 타고 꾸준하게 내 방문을 두드렸다. 가방을 챙겨 집 밖으로 나가려던 순간, 엄마는 내 손목을 붙잡고 어울리지 않는 말을 했다.

"딸, 밥 먹고 가."

순간 당황스러웠다. 이게 얼마 만에 듣는 말인지. 거절하려는 말도 느리게 나왔다. 늦어서 어렵다는 말을 하고 신발을 신으려고 캔버스화를 가져 온 순간, 신발을 붙잡아야 하는 끈들이 없어졌다는 것을 발견했다. 이 집에서 신발을 건들 수 있는 사람은 나와 엄마뿐이다. 이 집에서 사람은 나와 엄마뿐이니까. 엄마가 신발 끈을 뺐다는 확신에 차서 고개를 엄마에게 돌리고 물었다.

"이거 신발 끈 엄마가 뺐어요?"

엄마는 아무렇지 않게 고개를 끄덕이며 답했다.

"응. 끝에가 너무 지저분하길래. 빨려고 빼놨지. 너 그런 거 신고 다니면 안 돼. 남들이 빈티 나게 생각해. 사람이 입는 옷, 신는 신발, 다 그런 데에서 티 나는 거야."

분명 신발 끈으로 시작한 말이 시선에 대한 연설로 끝났다. 왜 하필 평소에 관심도 없던 나에게 오늘 관심이 갔을까. 의심 아닌 의심을 하기에 시간이 늦었다. 밀린 계획들이 나를 재촉해왔다. 성급하게 화장실로 움직이는 나를 엄마는 신기하듯 바라보기만 했다. 세면대에 둔 탓에 약간 젖은 신발 끈을 다시 현관으로 들고 와 레이스 루프에 끼워 넣었다. 이 정도는 괜찮을 거야. 다 끼워 넣지도 못하고 집을 나와 엘리베이터에 탔다. 층수가 내려갈수록 신발 끈을 레이스 루프에 끼워 넣는 속도가 빨라졌다. 급하게 묶은 탓인지 왼쪽 발은 꽉 끼고 오른쪽 발은 헐렁하다.

신발 교환식이 가까워질 때는 조심스럽게 걷게 된다. 내가 신는 신발이 조금 더 좋은 흔적이기를 바라면서. 하지만 촉박한 오늘은 그게 잘 되지 않았다. 집 앞 버스를 타도 아슬아슬한 시간, '곧 도착' 표시가 뜬 버스는 몇 분이 지나도 오지 않았다. 평소에는 예상 시간보다 항상 빨리 도착해서 나보다 빠르더니. 예상 시간을 보고 늦어 못 탄 적이 한두 번이 아니었다. 그런 버스가 오늘은 시계를 다섯 번 넘게 살펴서야 도착했다. 사람들로 꽉 찬 버스는 들어가기도 벅찼다. 죄송합니다. 잠시만요, 죄송합니다. 고개를 숙이며 사람들 틈으로 겨우 들어가 자리를 잡았다. 안도의 한숨도 허락하지 않는 듯 달리던 버스가 급정차했다. 갑자기 멈춘 버스에 사람들이 앞으로 쏠렸다. 그때, 내 옆에 서 있던 대학생이 제 우산을 지팡이 삼아 몸을 지탱했다. 문제는 그게 버스 바닥이 아니라 내 발이었다는 점이었다.

"아!"

내 고통스러운 통성을 듣고 그는 고개를 돌렸다. 고개를 돌리고 나를 확인한 그는 아, 하고 길게 소리를 냈다.

"어...... 죄송합니다."

사과가 나오기까지 길게 늘어진 소리와 위아래로 훑는 시선. 마치 그의 죄송합니다는 진심이 아닌 것처럼 느껴졌다. 사과하기 싫은 사람처럼 억지로 속의 말을 끌어올렸다고 생각했다. 순간 속이 울렁거렸다. 버스가 흔들리는 방향과는 반대로 움직이는 것 같았다. 아침부터 엄마 때문에 예민해진 걸 거다, 하고 스스로를 가라앉혔다. 이 정도에 감정을 쓸 정도로 여유롭지 않았다. 문득 시구가 이야기해 줬던 지난달의 교환식이 떠올랐다. 얼마 전에 빤 건 아닌지 의심되는 깨끗한 신발을 신고 온 시구는 열불이 나서 세탁소에 돌아왔었다. 그리고 뒤를 돌아 신발 뒷면에 난 자국을 보여 줬었다. 이게 보이냐며, 이번에 진짜 깨끗하게 신어서 기록 세우나 했는데, 같이 일하던 알바생이 밟았다며 화를 냈었다. 그때 그 자국이랑 비슷해 보였다. 내 것이 조금 더 둥글었지만. 그 이야기를 떠올리니 화났던 마음이 조금 가라앉았다. 대학생에게 꾸벅 고개를 숙이고 다음 역에서 곧바로 내렸다.

뛰어갔음에도 불구하고 십 분이나 늦어 버렸다. 원장이 없길 기도하며 올라가는 엘리베이터의 숫자를 셌다. 7층에 가까워질수록 불안해진 마음은 문이 열리자마자 보인 원장의 얼굴에서 멈췄다. 팔짱을 끼고 마음에 안 든다는 듯 벽에 기댄 원장. 원장은 지각에 엄격한 사람이다.

"선생님, 잠시 저 좀 봐요."

내 대답은 중요하지 않기 때문에 원장은 바로 몸을 돌려 원장실로 향했다. 내 대답이 중요하지 않은 건 나 역시 마찬가지라 고개를 숙이고 열 걸음 뒤에서 따라 들어갔다. 우리의 옆을 지나가던 데스크 선생이 힐긋 쳐다봤다. 혼나러 들어가는 나는 재미있는 구경거리였다. 원장은 문을 닫으라고 손짓했고, 나는 얌전히 문을 닫았다. 문이 닫히고 원장은 의자에 앉아 턱짓했다.

"왜 늦었어요?"

무슨 말을 해야 할까. 꿈에 반가운 친구들이 나왔는데 이름이 기억이 안 나서요. 아침부터 신난 엄마가 부르는 노래가 음정이 안 맞아서요. 버스를 내리려고 했는데 하차 벨에 손이 안 닿아서요. 전부 아니다. 정답은 이유가 아니라 '죄송합니다'라는 걸 알았다. 목에 추라도 단 것처럼 고개가 자꾸 내려갔다. 정답을 말할 차례였다.

"죄송합니다."

내 말이 끝나기 직전, 원장은 따지기 시작했다. 원장의 날카로운 목소리가 원장실을 뚫고 밖으로 나간다.

"제가 늦지 말라고 하지 않았어요? 아니 이게 죄송합니다, 이러면 될 일이야? 죄송하지만 말고 죄송할 짓을 안 하면 되는 거잖아요. 내 말이 틀려?"

"아니요. 죄송합니다. 앞으로는 늦는 일 없게 조심하겠습니다."

조용한 원장실은 금방 원장의 한숨으로 채워졌다. 한숨 한 번에 공기가 갑자기 무거워졌다. 조용해진 원장은 무거운 공기 속에 질문하기 시작했다.

"선생님 계약 기간 언제까지지?"

"이 주 정도 남았습니다."

"됐어요, 그럼. 어차피 애들 방학 실기 기간 끝났으니까 그냥 오늘까지만 해요. 이번 달 월급은 금방 넣어 줄게."

갑작스러운 통보에 할 말을 잃었다. 나를 마음에 들지 않아 했던 것은 진즉 알고 있었다. 나의 표절 사건을 우연히 안 원장은 그 이후부터 내 인사를 어색하게 받기 시작했다. 그리고 다른 선생님들에게 내 안부와 실력을 묻기 시작했다. 그 조교쌤 어때. 안 이상해? 조심성 없는 의심은 잘도 내 귀에 들어왔다. 내가 원장의 마음에 들 리가 없었다. 이미 알고 있었다. 알 수밖에 없었다. 그래서 이 지각 사건이 꼭 핑계인 것 같았다. 다른 선생으로 갈아 치울 수 있는 완벽한 타이밍이었다. 원장의 해고에 반박할 수 없었다. 고개를 한 번 더 숙이고 대답했다.

"아… 네, 알겠습니다."

"나가 봐요."

고개를 숙여 원장에게 인사를 한 후 원장실의 문을 열었다. 맞지 않는 문에 신발이 끼었다. 끼익. 하얀 컨버스의 앞코에 검은색 스크래치가 생겼다. 스크래치를 보며 오늘은 세탁소에 가기 전에 잠시 낮잠을 자야겠다고 생각했다. 잠시 자고 일어나면 괜찮을 거라고. 시구에게 가서 빨리 오늘의 연이은 이 불행들을 설명해 줘야겠다고. 그런 생각을 하면서 갑작스러운 마지막 업무를 마쳤다. 우산에 밟히고, 문에 긁혀서 애매하게 더럽혀진 컨버스. 더 이상 더럽히지는 말자. 그런 컨버스를 신고 조심스럽게 집으로 돌아갔다.

집으로 돌아가는 순간은 마침 엄마가 외출을 하기 위해 집을 나설 때였다. 닫히는 엘리베이터 문 사이 어정쩡하게 서 있는 나의 손목을 엄마는 잡고 당겼다. 자연스럽게 껴진 팔짱이 이토록 어색할 수 없었다. 당황해서 내려다보는 나의 몸은 엄마에 의해 곧장 돌려졌다. 엄마는 신난 말투로 말했다.

"왜 이렇게 빨리 왔어? 잘됐다. 장 보러 가자."

신난 엄마는 예전의 모습을 닮아 있었다. 그래서 거절을 하지 못했다. 엄마가 닫힌 엘리베이터의 버튼을 누르고 엘리베이터는 빠르게 열렸다. 그리고 엄마는 정말 동네 마트에 나를 데리고 와 장을 보기 시작했다. 분명 집에 먹을 거라고는 즉석 밥 몇 개와 라면 몇 봉지뿐일 텐데. 엄마는 아빠와 헤어진 후 장을 보지 않았다. 요리도 하지 않았다. 독특한 외국 요리의 향은 우리 집에서 사라진 지 오래였다. 분명 오래였는데, 엄마는 그 향을 기억이라도 하는 듯 여러 식품을 카트에 담았다. 종종 아무 말도 없는 내게 말을 걸며 장을 봤다. 계란, 대파, 콩나물, 다시마, 우유. 정상적인 식품들이 카트에 쌓이기 시작했다. 장을 다 본 후에는 무거운 장바구니를 들고 편의점으로 들어갔다. 오늘의 엄마를 이해하기를 포기하고 따라 들어갔다. 엄마는 와인 코너로 향했고 여러 와인들을 살펴보았다. 와인 아래 꽂힌 불규칙한 숫자들을 열심히 보다가 가장 적은 숫자의 와인을 집어 들었다. 와인을 들고 계산대 앞에 서자 찌든 담배 냄새가 났다. 아저씨가 와인의 바코드를 찍으면서 엄마에게 물었다.

"오랜만이시네요."

엄마는 친절하게 응답했다.

"그러게요. 잘 지내셨어요?"

"저야 뭐, 똑같죠. 따님이랑 데이트하려고 사시는 거예요?"

"네. 얘가 요즘 미술 선생님 하느라고 바빠서. 좀, 같이 식사하고 술 마시고 이런 걸 못 했거든요. 오늘 하려고."

"아, 진짜? 선생님 된 거예요?"

"으응. 얘가 그림 잘 그리잖아요. 얘가 원래......"

문득 불안감이 올라왔다. 대답하는 엄마의 팔뚝을 잡아당겼다. 엄마의 대답이 길어질 것 같다는 불안감이 올라왔다. 팔뚝을 잡아당긴 채 빨리 가자고 재촉했다. 편의점에서 빨리 나오고 싶었다. 엄마는 내가 이상하다는 듯 봤으나 내 재촉을 이기지 못하고 편의점을 나섰다. 문득 편의점 아저씨가 이상하게 바라보는 것 같았다.

편의점에서 나오자마자 오늘 일어났던 일을 고백해야겠다고 마음먹었다. 아직 자랑은 시작도 못 해 불만인 건지 엄마는 잡혔다가 놓인 팔뚝을 툭툭 쳤다. 왜 그렇게 서둘러서 나왔는지 물어보려는 엄마를 앞섰다. 선수친 고백은 빠르게 나왔다. 나는 덤덤하게 말했다.

"나 학원 짤렸어요."

엄마의 대답은 궁금하지 않았다. 좋은 대답을 듣지 못할 건 뻔했다. 엄마는 다시 요즘의 엄마로 돌아와 짧은 투로 대답했다.

"뭐?"

"그렇게 됐어요. 어차피 계약 기간도 얼마 안 남았고... 나 원래 하기 싫었어요. 원장도 나 별로 안 좋아하고."

"뭐라고? 다시 말해 봐."

"학원 이제 안 나간다고요."

"왜 그렇게 돼! 다시 나간다고 해. 네가 집 구석에서 뭘 하겠어. 학원이라도 다녀. 가서 잘 그리는 그림이나 가르쳐."

"짤렸는데 어떻게 다시 나간다고 해요."

"이제는 학원도 짤려? 네가 할 줄 아는 게 뭐야. 저번에는 승아 이모한테 화나 내고 아, 넌 애가 왜 그래!"

말하면서도 문장에 동화되는 순간이 있다. 엄마가 그랬다. 엄마의 문장 속에 엉망인 내 모습에 엄마는 더 화가 났는지 말이 끝날 때쯤은 외침에 가까운 소리를 냈다. 엄마는 집 안에 처박혀서 아무것도 하지 않는 나를 멋대로 상상했던 것 같다. 하루 종일 이해가 안 됐던 엄마를 갑자기 이해할 수 있었다. 갑자기 엄마의 숨어진 모든 것들을 찾을 수 있을 것 같았다. 장바구니에 넣지 못하고 엄마에 손에 붙들린 와인. 화를 참지 못한 엄마는 그 편의점 싸구려 와인을 바닥에 내던졌다.

여름날의 와인이 마모된 콘크리트의 조각들을 만나 산산조각 났다.

늦은 밤, 신발을 빨기 위해서 근처 공중 화장실에 들어갔다. 이 소담천 공중 화장실에서 조금만 걸어 올라가면 졸업했던 초등학교가 나온다. 초등학교 5학년, 친구들 사이에서는 하교 때마다 하천을 서성이는 경찰들과 사람들이 최근 일어난 토막 살인 사건 때문이라는 소문이 있었다. 살인범이 토막 살인을 내고 시체를 매일 새벽 하나씩 이 하천에 흘려 보냈다는 이야기. 이야기를 듣고 무서워서 다신 하천 근처에 오지 못했다. 원래대로라면 함께 경찰과 도둑 놀이도 하던 곳이었지만, 등하교도 십 분은 더 걸리는 거리로 돌아서 다녔다. 그런 하천 화장실에서 캔버스화를 빨고 있는 모습이 우스워서 눈물이 났다. 오늘 아침 꾼 꿈이 마치 복선 같았다.

하얀 컨버스를 싸구려 레드와인이 안하무인 침범하고 있었다. 분명 그 편의점 아저씨가 거짓말을 했을 거다. 유통기한이 훨씬 지난 것이 틀림없다. 와인에서 이렇게 시체 썩은 냄새가 날 수 있나. 젖은 캔버스화 밑창에 코를 가져다 대고 뼈다귀를 씹어 먹는 개새끼처럼 킁킁거렸다. 시구라면 이 시체 냄새를 더 잘 맡을 수 있을까? 시구는 자신의 이름의 '시'가 시체 '시'라고 했다. 그럼 그 토막 살인 사건의 영혼들도 그 '시'에 포함될 수 있을까. 시구는 그 영혼들도 전부 통과시킬 수 있을까.

컨버스는 오염됐다.

사람들이 지나가지 않는 곳이었지만, 그래도 아주 혹여 한 사람이라도 지나갈까 봐 화장실의 문을 닫았다. 가장 큰 두려움은 십 몇 년 전 그

토막 살인 사건의 범인으로 오해할 것 같다는 것. 핏물을 빨고 있는 모양새가 꼭 친절한 세탁소 주인을 흉내 내던 범인 같지 않았다. 셀프 세탁소가 판을 치고 있는 세상에서 문득 친절하게 웃었다. 웃음소리를 들으니까 더욱 슬퍼졌다. 더욱 슬퍼지려고 노력했다. 노력한 슬픔이 합리화의 근거가 될 때까지. 충분한 우울 위에 안 좋았던 기억을 욱여넣었다. 무거운 기억들이 팔이 아닌 뇌수를 아프게 했다. 끙, 하고 끌고 온 기억들마저 나를 거절하는 날들이 있다. 기억들의 거절은 신경 쓸 바가 아니라고 우겼다. 더욱 슬퍼져야 답답한 속이 풀릴 것 같았다. 행복하지 않기 위한 날이었다. 축축하게 젖은 컨버스화를 들어 발을 구겨 넣었다. 이곳에는 건조도 없고, 탈수도 없다. 비참한 스스로가 만족스러웠다.

*

나는 시구가 물귀신처럼 축축한 신발을 가져 온 나를 용서할 줄 알았다. 이유는 없었다. 우리는 많은 달의 마지막을 공유했으니까. 사람들은 마지막 규칙을 쉽게 잊으니까. 그래서 말없이 교환식에 불참한다는 선택지 대신 열심히 빤 신발을 신고 교환식에 참여하는 선택지를 골랐다. 열심히 빤 신발을 신고 가면 왜 이렇게 젖었냐고 물어보기만 하고 추궁은 하지 않을 거라고 생각했다.

여름날의 장마처럼 비가 쏟아졌다. 우산을 쓰고 걸어도 종아리까지 청바지가 짙어진 사람을 다섯 번 넘게 봤다. 건조시키지 못한 캔버스화가 더욱 젖어 들어갔다. 최대한 많은 빗방울이 우산을 피할 수 있도록 우산을 뒤로 젖혔다. 거침없이 물방울이 신발 위로 떨어졌다. 굳이 물웅덩이를 피하지도 않았다. 오히려 물웅덩이 쪽으로 가려고 노력했다. 제대로 세탁되지 않은 운동화를 더욱 더럽히고 싶었다.

거친 발걸음은 삼거리 편의점을 지났고 로또방 앞을 지났으며 아무도 없는 공포 게임 스테이지까지 지났다. 그리고 창가에 앉은 그 애의 신발을 보고난 후에야 발걸음이 멈췄다. 흔한 브랜드의 노란 운동화였는데 파스텔톤의 옅은 노란 천 위에 짙은 개나리색 동그라미가 별로 없었다. 조심스럽게 걸어왔구나. 시구의 신발을 보기 전까지는 빨리 도착하고 싶었던 마음이 갑자기 사라졌다. 문득 두려워졌다. 정말 나를 용서해 줄까, 하고 궁금증이 생겼다.

시구는 문까지 열어 주며 나에게 들어오라고 손짓했다.

"야! 너 거기서 뭐 해!"

반가운 듯 손까지 흔들며 들어오라고 말했다. 두려움에 멈췄던 움직임을 다시 시작했다. 한 걸음씩 걸었다. 아까와는 다른 걸음으로 걸었다. 우산을 다시 앞으로 하고, 물웅덩이는 피해서 걸었다. 세탁소로 향하는 속도를 늦추고 싶어서 그런 거라고 생각했다. 세탁소에 겨우 들어온 나를 보던 시구는 아무 말 없이 색색이는 내 손에서 우산을 가져갔다. 튀어나온 활 하나를 다시 동근 플라스틱 쓰메 안으로 넣어 주었다. 깔끔한 시구의 투명 우산이 세탁소 벽면 한쪽에 기대 있었다. 한 달 만에 본 건데 마치 지난주에 본 것처럼 시구는 말을 걸었다.

"밖에 비 많이 오지. 왜 이렇게 망가진 우산을 들고 왔대."

시구의 말을 듣고서야 망가진 우산이 눈에 들어왔다. 그래서 비를 잘

피하지 못했던 거구나. 여기에는 무슨 대답을 해야 할까 고민하다가 겨우 입을 열었다. 하루 종일 어떤 대답을 해야 할지 고민한 탓에 더 이상의 질문에는 생각할 여유가 없었다. 시구의 대답에는 고민할 마음이 남아있지 않았다. 성의 없는 대답을 하기 위해 입을 열었다.

"정신이 없었어."

"그러니까. 나도 조심히 오느라 개고생했어."

시구는 성의 없는 대답에 공감했다. 침묵하는 나를 살피던 그 애는 기민하게 눈치채 버렸다. 머리에 묻은 비를 털어 내고, 어깨에 묻은 비를 털어 낸 후 조용한 나를 살펴보기 시작했다. 장난기가 가득한 얼굴이 점점 알 수 없었다. 시구는 곧장 의자에 앉아 신발을 벗기 시작했다. 맞다. 우리는 만나자마자 신발을 벗고, 서로의 신발로 갈아 신은 후에야 이야기를 시작했다. 노란 운동화가 의자 아래로 툭, 툭, 툭, 떨어지고 시구의 발에는 오로지 하얀 양말뿐이었다. 시구는 하얀 양말을 좌우로 흔들면서 옆자리를 쳤다. 거기서 그러지 말고 이리 오라는 듯.

"빨랑 와. 왜 그래? 무슨 일 있었어?"

신발의 흔적을 열심히 숨기고 난 뒤라 대답할 힘이 없었다. 흔적을 숨기는 일에도 흔적이 남았다. 축축한 신발을 보고 시구는 이미 눈치를 챘을지도 모르겠다. 고개를 끄덕이고 솔직하게 대답했다. 더 이상 대답을 숨길 힘까지 남아 있지 않았다.

"신발 빨고 왔어."

시구는 대답하지 않았다. 좌우로 흔들리던 발이 멈췄다. 사실 시구의 발 장난을 신경 쓸 힘도 없어서 바로 말을 이어 나갔다.

"이것도 설명해야 할까? 그냥 아침부터 별로였어. 다 마음에 안 들어서 그랬어."

마치 말들이 전부 연결된 느낌이었다. 하나를 꺼내니까 속에 있던 것들까지 우르르 연달아 튀어나왔다. 아주 자연스럽게. 첫 말을 꺼내는 일은 어려웠는데, 그다음 말을 꺼내는 건 어쩜 이렇게 쉬운지 모르겠다. 회상을 할 필요도 없이 오늘의 기억들이 이어졌다.

"엄마가 내가 뭐 같다고 와인을 깼는데 그거 때문에 다 젖었어. 뭐 같아서 빨았어. 그거 때문에 더러워진 신발 안 신고 싶어서. 아니, 오늘 그냥 처음부터 별로였어. 아침부터 전부 다 엉망이었어. 학원에서 짤리질 않나, 버스에서 밟히질 않나. 왜 그렇게 쳐다봐? 이것도 규칙 위반이야? 설명했잖아. 이건 왜 안 돼. 그냥 싫었다고, 그런 거 신고 오기가."

쉬운 말들이 빠르게 나왔지만 시구는 아직 첫 말을 꺼내지 못했는지 조용히 입을 다물고 있을 뿐이었다. 무슨 말을 할지 감도 잡히지 않았다. 무슨 일인지 천천히 말해 봐, 라면서 다시 설명을 요구할까. 다치진 않았어? 무슨 일이야, 라면서 걱정을 할까. 예상되는 말들이 너무 많았지만 가능성은 예상되지 않았다. 그래서 그저 그 애가 처음 뱉는 자음이 뭔지 노려볼 뿐이었다. 시구는 계속 조용히 있다가 처음으로 입을 열었다.

"넌 규칙을 어겼어."

멋대로 위로를 기대했으나 가장 먼저 돌아온 것은 판결이었다. 원래 판결은 위로보다 빠르다는 사실을 잊고 있었다. 시구는 용서할 줄 알았는데. 다시 생각해 보면 아니었다. 진상 손님이 수박을 바닥에 던져 신발에 수박의 흔적이 튄 날, 시구는 그 신발을 신고도 이 세탁소에 왔다. 진상 손님에게 한 소리 들은 시구는 그것도 어쩔 수 없다는 듯이 말하다가 문득 상처를 잊지 못하고 울었다. 울면서도 3시 45분 전까지 계속 그 일을 지켜봤다.

시구는 고개를 돌려 벽에 기댄 자신의 우산을 챙겼다. 마치 나서려는 듯한 태도에 헤어짐이 미련 없는 이 교환식이 이제는 더 이상 없을 것 같다는 생각이 들어서 불안해졌다. 소리를 질렀다.

"억울해!"

내 억원은 중요하지 않기 때문에 시구는 바로 몸을 돌려 세탁소 밖으로 향했다. 노란 운동화를 다시 신지도 않고, 하얀 양말만 신은 발로. 내 억원이 중요하지 않은 건 나 역시 마찬가지라 고개를 들고 바로 뒤에서 따라 들어갔다. 세탁소에는 시구의 운동화와 내 우산만 덩그러니 남았다. 나는 시구의 손목을 잡았다. 비가 그쳤는지 세상이 조용해졌다. 조용한 곳에서 큰 소리로 시구에게 물었다.

"그렇게 잘못한 거야? 야. 솔직히 이게 뭐가 중요해? 핑계잖아. 한 번 정도는 봐줄 수 있는 거잖아. 크게 잘못한 것도 아닌데. 우리끼리 멋대로 정한 규칙인데."

틀린 말은 아니었다. 이건 공모전의 빡빡한 규칙들도 아니고, 학원 채용의 빡빡한 조건도 아니었다. 그냥 잘 안 보이는 셀프 세탁소에서 우연히 만난 우리가, 친구가 된 채 하는 놀이의 규칙이었다. 초등학교 때 학교 친구들과 함께하는 놀이에서 규칙을 위반하면 짧은 질타로 끝나는 정도의 규칙. 이렇게까지 화낼 일은 분명 아니었다. 분명 잠시 당황하고, 울지는 않지만 울고 있는 친구를 달래 주고, 오늘 벌어진 나의 긴 하루를 들어 주고, 그리고 마지막에 그래도 이건 규칙 위반이니까 다음부터 이러지 말자고 할 일. 딱 그 정도의 일이었다.

하지만 시구는 내 말을 듣고도 어떤 말도 하지 않았다. 첫 말만 나온 채 이어진 말을 뚝 끊어졌다. 더 이상 할 말이 없다는 듯 시구는 침묵으로 대답했다. 시구는 내게서 고개를 돌려 세탁소를 나섰다. 세탁소를 나선 시구는 오른쪽으로 몸을 돌려 걷기 시작했다. 뒤도 보지 않은 채 주소도 모를 시구의 집으로 향했다. 뒷모습이 너무 멀쩡해 보였다. 성큼성큼 알 수 없는 곳으로 숨어 버리는 모습이 마음에 들지 않았다. 하얀 등짝에 흔적이라도 남기고 싶었다.

그 애에게 신발 사체를 던졌다.

맞을 리도 없었고 맞지 않기를 원했다. 분명 신발이 떨어지는 소리가 났는데도 그 애는 뒤를 보지도 않았고 흠칫, 멈추지도 않았다. 그저 이 셀프 세탁소에서 벗어날 뿐이었다. 더 이상 잡을 수 없었다. 그 애의 흰 양말이 삐주룩한 아스팔트 위로 올라갔다. 한 걸음 옮길 때마다 아스팔트의 검은 가루들이 흰 양말에 징그럽게 달라붙었다. 끈적하게 검은 사체들.

에세이

Essay

김다인

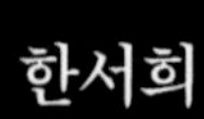

김다인

<나만의 놀이터>

한서희

<못 찾겠다 꾀꼬리! >

나만의 놀이터

김다인

"놀이터 속에는 분명 똑같이 그런 때를
버티고 있는 내가,
버텨낸 내가 있다."

나는 고등학교 1학년, 2020년도부터 일주일에 한두 번 감정 기복이 심하거나 특별한 일이 있을 때 일기를 쓰곤 했다. 초등학교 때의 방학 숙제, 중학교 시절 친구들과의 교환 일기 따위와는 달랐다. 누군가에게 보여 주기 위함이 아니었고, 나 혼자만 보는 공간에 쏟아내듯 써 내려갔다. 그렇게 시작한 일기가 올해는 단 하루도 빠짐없이 채워졌다. 하루를 기억하고자, 복잡한 생각을 정리하고자, 감정을 추스르고자 등 어떤 목적을 가지고 쓴 것이 이제는 내 일상 속 습관이 되었다. 일기의 형태는 자주 바뀌었다. 종이 다이어리, 아이폰 메모장, 아이패드 노션(Notion) 앱. 그리고 이번 연도의 일기는 모두 노션 앱 속 내 Journal 페이지에 채워져 있다. 하지만 계속 이곳에 담진 않을 것이다. 내년의 일기는 아마 종이 위에 채워질 것 같으니. 2024년이 오기까지 한 달이 넘게 남았는데 벌써 흰색의 다이어리가 내 책상 한편에 자리 잡았다.

내 일기장은 나만의 놀이터다. 어두워져 사람 하나 없이 쓸쓸했다가 해가 떠 맑은 웃음이 가득해지기도 하고, 반짝거리는 추억의 장소였다가도 곧장 유치해지곤 하는 놀이터. 나는 그날 하루의 감정, 생각들을 놀이터에 풀어 놓는다. 그럼 내 흔적들은 어디론가 하나씩 숨어 놀이터에 쌓인다. 지금까지 쌓아온 4년의 흔적들은 소중하고, 앞으로 쌓아갈 더 많고 진한 흔적들이 기대된다. 인간의 기억은 완벽하지 않다. 시간이 흘러 사라지는 기억이 대부분이고 남은 기억조차 왜곡되기 너무나도 쉽다. 이 놀이터는 나의 기억이다. 하루 10분 투자하는 그 시간이 아니었더라면 사라졌을 내가 그곳에 너무나도 선명히 남아 있다. 이따금 '추억팔이'라는 이름 아래 숨어 있는 나를 찾기도 하고, 불안하고 우울할 때 펼쳐 보기도 한다. 놀이터 속에는 분명 똑같이 그런 때를 버티고 있는 내가, 버텨 낸 내가 있다. 그런 과거를 돌아보는 일은 좌절의 순간에 극복의 계기를 제공한다. 술래가 되어 숨어 있는 나를 찾아 내는 일은 숨는 일보다 훨씬 즐겁다.

*

최근 고등학교 친구들과 이야기하다가 당시에 썼던 일기와 사진을 찾아보았다. 기억은 시간이 지나면 미화된다는데 내가 가지고 있는 기억들은 아직 고통스러웠다. 이게 미화된 기억이라면 실제론 얼마나 힘들고 아팠을지. 그런 생각을 하며 가볍게 일기장을 펼쳤는데 내가 마주한 건 너무나도 다른 나였다. 한참 동안 보았다. 내가 기억하는 고등학생인 나와 일기 속 실제 나의 괴리감이 놀랍도록 컸다. 다 보고 난 뒤에 섭섭하고 씁쓸한 감정이 들 정도로 내 기억의 오류를 마주했다.

내가 기억했던 고등학교에서의 나는 깊은 심해에 가라앉은 포유류였다. 도저히 숨을 이어갈 수 없는 환경에 어떻게든 살려고, 밖으로 나가려고 발버둥 치며 참 아팠다. 입시 스트레스, 사실 그것보다 나를 더 아프게 한 건 부모님이었다. 사랑에 보답해야 한다는 부담감. 계속해서 자랑스러운 딸이고 싶은 욕심. 부모님이 나에게 거는 기대는 나를 잔뜩 울렸다. 항상 피곤해하며 함께 그 시간을 버티는 친구들에게조차 따듯한 말 한마디를 해 주지 못했다. 모든 게 짜증이었고 우울이었다. 고등학생 땐 지금처럼 매일 일기를 쓰지 않았는데 그 이유도 이것이었다. 모든 날이 똑같은 하루여서, 대부분의 페이지에 쓸 말이 다 어두워서 안 쓰니만 못하다는 것이 그때 내가 내린 결론이었다.

번아웃으로 정독실 책상에 앉아 2시간 동안 아무것도 못 하고 가만히 멍 때리던 내가 아직도 생생하다. 해야 하는데. 할 일들이 플래너에 가득 적혀 있는데. 아무것도 못 하는 나 자신에게 자괴감을 느꼈고, 늦게나마 하고 싶은 일을 찾아 성적에 연연하지 않고 자유로운 일상을 보내는 친구들이 부러웠다. 자괴감, 부러움, 시기 질투, 우울감. 그 모든 감정이 섞여 힘들어도 숨죽여 눈물 뚝뚝 흘리는 것밖에 못 하던 기숙사 침대 위 작은 나를 똑똑히 기억한다. 청춘이라는 고등학교 시절 학교에 대한 내 기억은 참 암울하고 숨 막혔다. 분명 즐겁게 웃고 재미있었던 순간도 있었겠지만 보다 힘든 순간들이 내 기억엔 너무나도 선명히 박혀 있었다.

그런데 일기 속, 사진 속 나는 너무 환하게 웃고 있었다. 내가 기억했던 어두운 순간도 분명 있었지만, 그 시간을 딛고 웃었던 날들이 더 많았다. 내가 기억하는 그 순간들은 정말 '순간'이었다. 정독실에서 2시간 동안 아무것도 못 한 날이 있었어도 시험을 잘 봤고, 그날에 내가 느꼈던 자괴감은 모두 잊었다. 내가 부러워하던 친구들에게 내 진심을 털어놓았다가 '난 오히려 네가 부러운데.'라는 말에 서로를 이해하기도 했다. 숨죽여 눈물 뚝뚝 흘리다가도 어느 날에는 친구들에게 들켜 부둥켜안고 소리 내 엉엉 운 날도 있었다.

친구들과 장난치며 숨넘어가듯 웃었던 교실
사감 선생님 몰래 과자 가득 펼쳐 놓고 조잘댔던 기숙사
친구의 연애 상담에 괜히 비밀스레 걸었던 학교 뒤편의 산책길

고등학교에서의 나도 참 반짝였다. 내가 기억하는 것보다 즐거운 순간이, 행복한 순간이 정말 많았다. 깊은 심해 속에 포유류인 줄 알았는데, 그래도 아가미 있는 어류였다. 숨 막힐 때보다 숨 쉴 때가 더 많았다. 내 우울은 이따금 찾아오는 시련 같은 것이었다. 일기 속 나는 내 기억을 비웃듯 시련을 뛰어넘고 더 빛났다.

일기를 쓰지 않았다면 내 고등학교는 정말 싫은, 다신 돌아가고 싶지 않은 곳이 되었을 것이다. 인간의 뇌는 긍정적인 것보다 부정적인 것에 더 많은 자극을 받기 때문에 좋은 기억보다 나쁜 기억이 더 잘 남는다고 한다. 그렇다면 필요한 건 잊히기 쉬운 좋은 기억을 붙잡아 둘 수단이다.

고등학교 시절 행복했던 내 좋은 기억들을 놀이터에 붙잡아 둔 덕분에 나는 다시금 그곳으로 돌아가 보고 싶어졌다.

*

일기는 나 자신뿐만 아니라 타인과의 관계에도 영향을 미친다. 당장 그때 쓰는 일기 또한 그렇지만 과거의 일기도 그럴 수 있다. 이 또한 고등학생 때의 경험인데, 어떤 하루는 안 좋은 일이 여러 개 겹쳤다. 알람 소리를 듣지 못해 아침을 못 먹었고, 평소에는 신경도 안 쓰시던 선생님이 갑자기 내 귀 피어싱을 보더니 잔소리를 해댔다. 야간 자율학습 시간 시험 공부는커녕 자격증 공부라며 유튜브를 보는 친구가 그날따라 내 기분을 아래로 잡아당겼다. 다른 과목 일들로 치이다가 잊어버린 발표 준비를 위해 밤을 새야 했고, 그날따라 안 풀리는 수학 문제 때문에 해야 할 일들을 다 마치지 못한 채 점호 시간이 되어 기숙사 방으로 올라와야 했다. 안 그래도 매일 힘든데 최악의 하루가 아닐 리 없었다. 점호 시간 전까지 친구들끼리 둘러앉아 도란도란 이야기를 나누는데, 한 친구의 칭얼거림이 나의 기분을 정말 저 바닥 끝까지 끌어내렸다.

'하기 싫다. 그냥 다 그만두고 예체능이나 할까? 너는 공부 잘해서 좋겠다. 나도 너랑 똑같이 공부하는데 왜 이래?'

그런 내용들이. 그 친구가 나에게 그런 말을 하는 게 하루이틀 일은 아니었다. 그런데 그날따라 그게 참, 짜증 나고 화났다. 야자 시간에 피곤하다며 엎드려 있던 그 친구가 미술을 포기하고 공부하고 있는 나에게 하는 말들. 가지고 있던 우정이 그 순간에 다 증발해 버린 듯했다. 조잘대는 말들이 듣기 싫었고, 왜 친해졌는지 근본적인 시작에 대한 후회까지 들었다. 그날 밤에 쓴 일기는 엉망진창이었다. 복잡하고 어두운 감정들이 정리되지 않은 문장들로 일기장에 처박혔다. 종이를 찢어 버릴 듯 검은 선을 한 페이지 가득 채워 넣기도 하고, 욕을 섞어 가며 같은 문장을 여러 번 반복해 쓰기도 했다. 신경 쓰지 않은 마구잡이 글씨체는 몇몇 단어를 알아볼 수 없게 만들어 놓았다.

그렇게 한참을 털어놓고 조금은 홀가분해진 기분으로 일기장을 덮었다. 밤은 새워야 하는데 정독실에 다시 내려가기 싫어 뭉그적거리다가, 내려놨던 일기장을 하나씩 넘겨 보기 시작했다. 쓰고 싶은 날에만 쓰는 내 일기장엔 다양한 감정이 가득했다. 그러다 그 친구 이름이 적힌 면에 멈칫하고 꾹꾹 눌러쓴 글자들을 읽어 내려갔다. 당장 몇십 분 전에 썼던 엉망진창 페이지와는 달리 참 따듯했다. 부드러운 말들과 그 안의 몽글몽글한 마음들이 날 향해 웃는 그 친구의 얼굴을 생생히 떠오르게 할 정도여서 한참 동안 다음 페이지를 넘기지 못하고 읽고 또 읽었다.

'A는 솔직하다. 내가 생각지도 못했던 부분을 발견하고 칭찬한다. 그리고 그 말들은 의심할 여지도 없이 진심이다. A의 눈빛은 언제나 똑바로 나를 향해 있고, 자기 진심을 믿지 않는 것을 참지 못하겠다는 듯 논리적인 근거를 들어 나를 설득한다. … A는 친절하다. 타인의 우울감을 잘 아는 A는 상대가 위로를 받아들일 준비가 될 때까지 묵묵히 기다린다. 오늘도 A의 친절함에 감동받고 따라 웃었다. 그게 참 고마웠다.'

— 2021년 9월의 일기 중

내가 이래서 좋아했구나. 이 친구의 이런 면을 사랑했구나. 그런 걸 깨달았다.

*

과거를 찾을 때 이러한 의미가 있으려면 놀이터의 바닥을 솔직함으로 채워야 한다. 솔직함이라는 건 흔히 긍정적으로 평가되는 덕목이지만 때론 타인을 상처입히기도 한다. 솔직한 그 엉망진창 페이지를 친구가 봤다면 아마 울었을 것처럼. 그리고 솔직하게 자신을 마주하는 일은 사실 굉장히 창피하다. 솔직하게 거친 언어로 써 내려간 일기는 남들에게 절대 보여 줄 수 없는 내용일 수도 있고, 다시 돌아봤을 때 과거의 자신이 원망스러울 정도로 부끄러울 수도 있다. 그럼에도 불구하고 내 일기는 솔직하려고 많이 노력한다. 주변 지인들에게 만약 내 일기가 세상에 공개된다면 수치스러워서 죽을 수도 있다고 장난스럽게 자주 이야기할 정도다.

하지만 어쨌든 그곳은 '나'의 놀이터니까 괜찮다. 공개하고 싶지 않은 내용은 공개될 리 없다. 누구도 들어오지 못하고, 숨어 있는 감정을 찾는 숨바꼭질 놀이의 술래는 오직 나 하나뿐이다. 숨는 사람도, 숨긴 사람도, 찾는 사람도 나. 일기는 내가 나 자신을 가장 쉽게 마주할 수 있는 공간이다. 계속해서 함께할 완전한 나만의 공간. 현재를 털어놓고 과거를 추억하는 놀이터는 지금 이 순간을 사랑하게 만들고, 너무 힘들었던 하루조차 낭만으로 포장하게 만든다.

'잠들기 전 느끼는 내 심장 소리가 원망스러운 날이 있다. 해내지 못한 것에 대한 후회가, 자괴감이 가득한 날에 대체로 그렇다. 그렇게 원망스럽다가도 아직 살아 있다는 사실에 힘을 낸다. 내일 침대에 누웠을 땐 내 심장 소리가 잔잔하고, 평안하고, 사랑스럽기를 바란다. 내일은 그런 하루를 보내 보자고 다짐한다.'

— 2023년 6월의 일기 중

못 찾겠다 꾀꼬리!

한서희

"술래가 포기를 했는데도
아무도 나오지 않자 깨달았다.
이건 나 혼자 해내야 하는 게임이었구나."

"본관 놀이? 나 그거 어제 동기들이랑 갔다 왔어."

멈칫, 입가의 미소가 사라진다. 나한테는 왜 같이 가자고 물어봐 주지 않은 거지? 그 친구들이 더 좋은 이유가 있나? 아무렇지 않게 말하는 친구의 한마디는 머릿속으로 들어와 다소 계산적이고 이기적인 생각으로 자라나기 시작한다. 그렇구나, 대답하며 다시 미소를 띠지만 이 아이가 나를 먼저 찾지 않은 이유는 뭘까, 하는 생각만 둥둥 떠다닐 뿐이다.

*

모두가 날 좋아하게 할 순 없고, 모두의 1순위가 될 수도 없다. 비관적으로 하는 말이 아니라 정말로 불가능한 일이다. 생각해 보면 당연하다. 그런데 은근히 그러기를 바라는 마음은 본심 깊숙한 곳 어딘가에 있지 않을까? 나는 그랬다. 상대에게 '괜찮은 사람' 이상으로 불리기를 바랐고, 쓸모를 인정받기를 원했다. 그렇지만 나는 그 과정에서 강한 사람은 아니었다. 상황 하나, 사람 하나, 말 하나에 안심하다가도 상처받았고, 용기를 얻다가도 좌절했다. 그래서 나에겐 남이 좋아하는 모습으로 변신하는 능력이 있었다. 어느 순간부터 진짜 '나'와 멀어지고 있었던 게 문제지만.

시작은 중학교 초반쯤이었다. 인스타그램보다 페이스북이 더 유명하던 그 시절 우리에게 '친구'보다 더 중요한 건 없었다. 나도 마찬가지로 당시 막역하게 지내던 5명의 친구들이 매일의 낙이었는데, 돌연 하루 만에 나를 향한 눈빛이 차가워졌었다. 아무리 머리를 굴려도 이해되지 않았다. 시간이 지날수록 더욱 선명해지는 무관심에 '왜들 저러지?'라는 의문은 점차 '내가 뭘 잘못했지?'로, 또 '나에게 무슨 문제가 있지?'로 바뀌었다. 결국 나는 나의 모든 단점을 끄집어내 나열하며 행동, 말버릇, 외모, 나를 구성하는 모든 것을 문제 삼았다. 몇 달을 그렇게 나를 향한 분노에 허덕이던 중 사건의 전말을 알게 되었다. 단순했다. 내가 인사를 하지 않았더라나. 상대만 나를 일방적으로 본 거라고 해명하고 싶었지만 못했다. 이미 나 자신에게 최악의 사람이었던 나는 용기가 없었기에.

이를 계기로 낯선 이들에게 좋은 사람으로 보이도록 하는 것에 집착하기 시작했다. 진심이 아닌 말들을 하고, 별것 아닌 것에 우악스레 웃어주고, 좋아하지 않는 옷과 화장으로 치장하면 불편했지만, 그 가식은 나에게 우정을 줬다. 누군가가 나를 찾아 주면 소속된 기분을 느꼈고, 그 안정감은 점차 '남이 보는 나의 모습'을 꾸미게 했다. 친구가 평소보다 조금 다른 반응을 보이기라도 하면 하루 종일 나의 문제는 무엇이었을까 짚어보며 나를 수정해 갔다. 불안했지만 웃었다. 위태로운 기쁨은 나를 위로해 줬다.

그러다 진학하게 된 고등학교는 완전히 다른 세상이었다. 우정보다 공부가 우선되는 환경으로 나는 새로운 모습으로 변신할 새도 없이 던져졌는데, 모두가 그랬다. 그래서 그런지 꾸밈없고 솔직한 모습은 사랑받았다. 학교 특성상 3년 내내 반이 바뀌지 않고, 그 친구들과 하루 15시간씩을 함께해야 하니 그럴 수밖에 없었을지도 모른다. 그래도 나는 가족이 더 생긴 기분이었다. 이 정도로 깊은 관계의 친구들은 앞으로도 못 만날 거라는 확신과 함께.

그 확신은 대학교에 들어가자 나를 겁먹게 했다. 3년을 본 사이가 아닌 이상 친해질 수 없을 것 같았다. 그래서 선택한 방법은 다시 가면을 쓰는 일이었다. 거짓을 입고 친구들을 사귀어 나갔다. 여행 동아리에 들어가 수많은 술자리와 여행을 다녀왔고, 친하지 않은 사람들이 가득한 회식 자리에도 끝까지 남아있었다. 궁금하지 않은 엠비티아이를 물으며 대화를 이어 나갔고, 과한 공감으로 환심을 사려 노력했다. 그렇게 인스타를 교환하며 밥 한 번 꼭 먹자는 말을 주고받는 사이가 점점 많아졌다. 바라던 대로 사람들에게 시끌벅적 둘러싸인 대학 생활이었지만, 그 중엔 내가 긴장을 놓고 만날 수 있는 이가 없었다. 어쩐지 또 내 탓 같았다. 내가 편하지 않아서 가까워지지 않는 듯해 보였다. '왜?'라는 질문이 또 맴돌았다.

마치 숨바꼭질 같았다. 너무 잘 숨어 버린 대상들도, 그걸 찾지 못해

호흡이 가빠진 술래도 모두 나인 숨바꼭질. 사람들에게 사랑받을 수 있는 '나'를 찾으려 애썼지만 보이지 않았다. 찾은 듯싶다가도 달려가서 보면 아니었다. 그렇게 흘러가는 시간에 지쳐 가던 나는 결국 이 시간제한 없는 놀이에서 우렁차게 포기를 선언해 버렸다.

"못 찾겠다 꾀꼬리!"

그런데 아무도 나오지 않았다. 술래가 포기를 했는데도, 아무도 나오지 않자 깨달았다. 이건 나 혼자 해 내야 하는 게임이었구나.

그래서 생각을 고쳤다. 불특정 대상들이 좋아해 줄 모습이 존재하는지도 잘 모르면서 매일 그를 쫓으며 시간을 허비하기보단, 그저 '나'로 있어도 나를 좋아해 줄 사람들과 지내야겠다고. 설사 그런 사람이 없더라도 아쉬워하지 않겠다 다짐했지만, 그 다짐이 무색할 정도로 내 주변엔 이미 많은 사람이 곁을 내어 주고 있었다. 가족 같은 고등학교 친구들, 그리고 서툰 스무 살의 한 해를 함께해 준 과 동기들. 많은 인원은 아니지만 상관없다. 더 이상 얕은 관계들에 미련 가지지 않는다. 덕분에 나의 기쁨은 더 이상 위태롭지 않다.

살아가는 동안 인연은 매일 생긴다는 말이 있다. 19년이라는 짧은 일생에서도 수많은 얼굴을 만났다. 떠올라 슬픈 얼굴이 있고 웃음이 이는 얼굴이 있는가 하면 지금의 삶이 궁금한 얼굴도 있다. 그렇지만 생각해 보면 대부분은 그 끝이 기억나지 않는다. 아마 그렇게 될 사람들이었겠지. 흘러가면 좋았을 시기에 억지로 관계를 잡아 봤자 허무하고 아픈 결말만 보게 되란 걸 이젠 안다. 더 이상 그들 마음을 사려고 가면 뒤에서 살지 않으려는 이유인 셈이다.

운명을 믿는다. 나의 시간들을 알록달록하고 환하게 만들어 주는 사람들, 번쩍이는 말들로 치장하지 않아도 나를 사랑해 주는 사람들은 어떻게든 만나 오래 그렇게 지낼 것을 믿는다. 그런 인연을 곁에 둔 나는, 백 명의 친구가 있다고 으스대는 그 어떤 사람보다 완전하다.

리뷰

Review

송현아

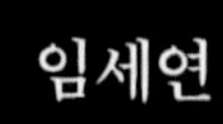
임세연

송현아

<쫓기보다 좇기를 택했다>

임세연

<서울병 >

쫓기보다 좇기를 택했다

송현아

"아마도 우리는 태어난 순간부터
수많은 눈가리개를 쓰고 있는지도 모르겠다."

영화 <위플래쉬 Whiplash>
감독: 데이미언 셔젤
개봉: 2015.03.12

"이쯤이면 최선을 다했고, 나는 만족한다."라는 말 혹은 생각을 살아가면서 해 본 적이 있는가? 만약 그런 적이 있다면 자신이 만들어 낸 결과에 진심으로 만족했는가? '이쯤이면'이라는 단어가 머릿속에 떠오른 그 순간부터 더 나아갈 가능성을 스스로 멈춰 버린 것은 아닌지 생각해 보게 한다.

*

빛과 희망

꿈과 이상향에 대해 떠올려 보면 어둠보다는 빛, 희망과 어울린다. 어떤 사람이든 바라는 바가 생기면 그것을 이루기 위해 온갖 노력을 하게 되는데, 그 순간부터 저 멀리 보이는 빛과 희망을 향한 그들의 달리기가 시작된다. 그곳에 닿기 위해 펼쳐질 고난과 역경을 보지 못한 채 그들은 오직 빛과 희망만을 볼 수 있는 눈가리개를 쓰고 출발한다. 마치 경기장 속의 경마처럼.

어둠 속 피투성이의 경마

아마도 우리는 태어난 순간부터 수많은 눈가리개를 쓰고 있는지도 모르겠다. 태어난 순간부터 부모님이 특정한 삶의 미래를 강요할 수도 있지 않는가? 국가에서는 일정 기간 학교에서 정해진 과목만 배우도록 강제한다. 여자는 조신해야 하며 남자는 주도적이어야 한다. 태어난 순간부터 우리는 사회에 의해, 주변 환경에 의해, 가정에 의해, 그 외 수많은 이유로 인해 원하지 않는 눈가리개를 쓰게 된다. 또한, 삶을 살아가는 와중 자의적으로 눈가리개를 쓰기도 한다. 그리고 그런 눈가리개들로 눈이 가려진 채 원하는 바를 이루기 위해 모든 것과 단절된 동굴로 들어간다.

<위플래쉬>의 앤드루는 어떨까. 그는 동굴 속으로 걸어 들어가 어두운 곳에서 홀로 빛나고 있는 드럼 앞에 앉았다. 그리고 미친 듯이 드럼을 치기 시작했다. 드럼 스틱을 쥐고 있는 손에서 피가 뚝뚝 떨어지고 있었다. 그럼에도 그는 몸에서 흐르는 것이 땀인지 피인지 구분하지 못한 채 계속해서 미친 사람처럼 드럼을 쳤다. 드럼 소리는 동굴을 폭발시킬 기세로 점점 크게 울려 퍼졌다. 동굴 밖으로 소리가 새어 나갈 듯하다가도 소리가 벽에 닿는 순간 다시 그에게로 돌아와 그의 고막을 때렸다. 어느새 그의 몸은 피투성이가 되어 있었다. 빛이 새어 들어올 작은 틈도 없는

동굴 속에서 그와 드럼은 살려 달라는 듯 소리치고 있었다. 그는 최고의 드럼 연주자가 되기 위해 자의적으로 눈가리개를 썼지만, 이는 교수의 강제적인 채찍과 합쳐져 피투성이가 된다.

우리는 어떤가? '앞으로 무엇을 하며 살아가고 싶은가? 어떤 사람이 될 것인가?'라는 질문을 들었을 때 선뜻 대답할 수 있는 사람은 많지 않을 것이다. 이는 자신도 모르는 사이 앞을 제대로 볼 수 없게 된 것일지도 모른다. 혹은 어떤 것을 이루기 위해 스스로 어두운 동굴에 들어갔다가 피투성이가 되어 나올지도 모른다. 좋은 성과를 거두기 위해 모든 것들과 단절하여 자신만의 동굴로 들어가 잠도 자지 않고 노력한 적이 한 번씩은 있지 않은가? 어두운 동굴 속에서는 오직 빛만을 바라보기에 자신을 돌아보지 못한다. 동굴 밖으로 나와서야 피투성이가 된 자신을 발견할 수 있는데, 이런 상처들이 아물어 새살이 돋느냐, 지워지지 않는 흉터가 되느냐, 더욱 심한 상처로 커지는가는 동굴 밖으로 나온 자신만이 결정할 수 있다.

결승선

빛을 따라 동굴 밖으로 나오면 각자 닿고자 했던 결승선이 보일 것이다. 상처투성이가 된 몸을 이끌고 결승선을 통과한다. 결승선을 통과하면 또 다른 동굴과 결승선이 보인다. 어떤 일이든 한 번 이뤘다고 끝나는 것은 없다. 어떤 것에 대해 알고자 하면 새로운 것을 알아낼수록 그다음을 향해 더욱 심층적으로 파고들 것이다. 어떤 곳에 닿고자 하면 닿을수록 더 좋은 곳을 열망할 것이다. 그렇게 우리는 계속해서 달릴 수밖에 없다.

다만, 달리는 중간중간 우리를 억압하는 눈가리개가 없는지, 상처 난 곳을 더욱 곪게 만드는 채찍은 없는지 살피며 그들에게서 벗어나야 한다. 상처 난 곳이 있다면 다음 동굴과 결승선으로 향하기 전 보살펴야 한다. 상처 난 곳이 아물며 우리는 더 많은 것들을 배울 것이고 몸에 새겨진 흉터들을 보며 같은 실수를 반복하지 않을 것이다. 그렇게 많은 동굴과 결승선을 통과하다 보면, 몸에는 많은 굳은살과 흉터가 있을지 몰라도 우리를 괴롭히던 눈가리개와 채찍을 더는 찾아보기 힘들 것이다.

꽃밭과 낭떠러지

계속해서 달리다 보면, 언젠가 끝을 마주하게 된다. 마지막 결승선을 통과한 순간, 우리는 꽃밭 혹은 낭떠러지를 마주한다. 꽃밭을 거닐고 있는 사람들은 비록 몸에 흉터와 굳은살이 있지만 그들을 억압하는 눈가리개와 채찍은 없다. 이들은 수많은 동굴과 결승선을 거치며 많은 것을 배웠으며 온전한 자신의 시야로 세상을 바라볼 수 있게 되었다. 반면, 낭떠러지를 향해 가는 사람들은 온몸이 피투성이가 되어 있으며 앞을 가리고 있는 눈가리개 때문에 온전한 자신의 시야로 세상을 바라볼 수 없고, 원하지 않는 방향으로 자신을 이끄는 채찍 때문에 결국은 낭떠러지 밑으로 떨어진다. 모든 결승선을 다 통과했을 때 우리 앞에 꽃밭이 기다리고 있을지, 낭떠러지가 기다리고 있을지 도착하기 전까지는 알 수 없다. 하지만 자신이 원하는 것을 명확히 알고 그러한 방향으로 나아간다면, 중간중간 찾아오는 고난들을 이겨 내고 꽃밭에 다다를 수 있을 것이다.

*

경마 위에 앉아 채찍질하는 기수가 될 것인가?
눈가리개를 쓰고 채찍질을 당하는 경마가 될 것인가?
두 다리로 이곳저곳을 거닐며 자유로이 행복한 사람이,
눈가리개를 벗고 넓은 꽃밭을 뛰어노는 말이 될 것인가?

우리는 다른 사람을 억압하는 기수가 되어서도, 앞을 보지 못하고 상처를 돌보지 못하는 경마가 되어서도 안 된다. 자신을 감싸고 있는 눈가리개와 채찍을 벗어던지고 피투성이가 된 몸을 돌봐 자신의 꽃밭에 다다라야 한다. 눈가리개 없이 세상을 바라보며 자신을 궁지로 내모는 채찍에서 벗어나야 한다. 가고 싶은 곳을 자유로이 누비고 하고 싶은 것들을 하며 몸을 돌봐 더욱 강해져야 한다. 그 끝에서 마주한 나 자신이 가장 행복한 내가 아닐까? 그렇게 우리는 쫓기보다 좇기를 택했다.

서울병

임세연

"지금부터는 잃어버린 '나'를 찾기 위해
끝없는 길을 걸어가는 짧은 이야기."

쏜애플의 앨범 <서울병> (2016)
수록곡: 한낮, 석류의 맛, 어려운 달, 장마전선, 서울

회색빛 하늘, 재촉하는 걸음걸이, 매연으로 뒤덮인 희뿌연 시선, 구름을 가릴 듯 치솟은 높은 빌딩, 차가운 대리석, 밤낮없이 불 켜진 도시 … 그리고 서울. 고유 명사가 주는 힘은 강하다.

나는 태생부터 좁은 곳을 좋아해서 넓은 거리와 좁은 골목길의 갈림길이 나오면 되도록 후자 쪽으로 걸어간다. 어느 날은 혼자 종로를 걷다가 과연 길이라 할 수 있는지 의문이 들 법한 골목길을 보았다. 나만의 비밀 장소를 발견한 기분이라 신이 나서 들어갔으나 전봇대 아래서 담배를 피우는 한 남자와 눈이 마주치고 재빠르게 몸을 틀어 들어왔던 길로 다시 나갔다. 바닥에 무수히 떨어져 있는 담배 꽁초를 밟으며 돌아서다 문득 아, 서울은 빈틈이랄 게 없구나 하는 감상이 들었다. 내가 들어갈 틈 없이 모두가 빼곡하게 자리를 차지하고 있는 것이다. 사실 골목길에 내가 들어선 순간 그 공간은 더 이상 빈 공간이 아니지만 말이다. 그런데 웃긴 것은 이렇게 밀도 높은 공간에서도 사람들은 고독을 씹는다. 허전하고, 불안하고, 모든 것과 단절되어 있다는 기분을 느끼며.

천만 도시 서울은 어딜 가나 사람을 찾아볼 수 있으나 숨을 곳 또한 많다. 우리는 이곳에서 매일 숨바꼭질을 하며 언젠가 나를 찾아주길 바란다. 숨바꼭질은 숨는 자와 찾는 자가 있어야만 비로소 놀이가 이루어진다. 그러나 현대 사회는 모두가 숨는 자가 되어 버렸다. 타인을 찾지 않아 고립되고 단절되다가, 결국에는 자신이 누구인지조차 알지 못한 채 사라져 간다. 이 글은 지독한 「서울병」에 걸린 사람들을 위하여 쓰인 낡은 지도에 불과하다. 지금부터는 잃어버린 '나'를 찾기 위해 끝없는 길을 걸어가는 짧은 이야기.

한낮

처음으로 길이 지나치는 시간은 한낮이다. 열두 시의 나라는 밝고, 번잡하다. 필연적인 고독이 찾아오는 밤의 이유가 가로막힌 한낮은 그 모든 말들이 변명이 되어 버린다. 길을 오고 가는 많은 사람 사이에 오직 태양만이 높게 떠서 나를 바라보고 있다. 두 발을 땅에 붙이고 손을 뻗어-완전한내가되는법을알려줘요 언젠가 목마름이그치긴하나요-끝없이 지켜보는 태양에게 물을 뿐이다. 아무리 손을 뻗어도 닫지 않고, 아무리 마셔도 목마름이 가시질 않는다.[1] 그리고 어리석게도 깨닫는다. 길 따윈 존재하지 않았으며, 그저 걸어갈 뿐이라는 것을. 원래 지상에는 길이 없었다. 가는 사람이 많아지면 그곳이 길이 될 뿐이다. 나는 썩은 마음이 담긴 몸뚱이를 질질 끌고 까마득한 길을

걷는다

석류의 맛

허기가 진다. 어느새 손에 들려 있는 석류를 오도독 씹어 먹는다. 석류알이 빠져나간 자리에는 깊은 구멍이 패어 있다. 속을 들여다보자 석류는 입을 크게 벌려 나를 집어

(삼킨다) 식인을 자행하는 귀자모신에게 석가모니는 사람 고기 맛이 생각나면 인육 맛이 나는 석류를 먹으라고 하였다. 그러나 귀자모신은 그 맛을 잊지 못해 거짓을 내뱉고 사람을 먹었다. **네가 먹은 것은 정말로 석류인가?**

퉤. 석류는 토해 낸다. 한참을 떨어지다가 고개를 번뜩 든다. 내가 삼킨 것은 무엇이었으며 내가 뱉은 말은 진실일까. 아무리 손을 씻어도 얼룩은 사라지지 않는다. 우리는 내던지는 새빨간 말들을 두려워해야

1) 탄탈로스의 형벌. 신들을 속인 죄로 타르타로스에 갇혀 영원한 배고픔과 목마름으로 고통받는다.

한다. 가벼운 것들은 열어 보면 빈 껍데기뿐이다. 허무를 섭취한 자들의 최후는 바닥 없는 맨홀이었다. 거짓말을 한 나는 붉어진 채 두려움에 질려 끝없이

어두운 달

어느새 사방이 어두워지며 달이 뜬다. 달은 스스로 빛을 내지 못한다. 밝은 달을 가만히 쳐다보고 있으면 무심코 누군가의 눈동자가 떠오른다. 늦은 밤 사무치는 외로움을 해소하기 위해 당신을 찾아 가지만 그대의 까만 눈을 통해 비로소 혼자임을 인식하게 된다. 뜨거운 나와 차가운 네가 섞인 허전함은 미지근한 온도를 가지고 있다. 아무리 끌어안고 살을 만지고 뒹굴어도 빛을 내지 않는 그 달은 나의 망막에 닿지 않아서, 결국 너무 어려운 달이다. 나는 체온에 서툴러서 눈앞에 보이지 않아도 사라지지 않고 존재한다는 사실을 잊어버린다. 무無의 공간에서 두 팔만 허우적대고 있는 나를 보니 어쩌면 떠오르지도 않을 허공의 네가 싫다. 침을 뱉지도, 목을 조르지도 못한 채 자리를 박차고

장마전선

때로는 비가 내린다. 입을 열어 굵은 빗줄기를 머금는다. 백 마디 말보다 구강에 담긴 백 밀리미터의 빗물이 도움이 되는 여름철이다. 목구멍을 틀어막은 채 귀에다 속삭이는 빗소리를 듣는다. 가파른 숨을

쉬며 흙 내음을 갈구했으나 이곳에는 한 줌의 흙마저 없다. 고개를 떨구고 고인 물웅덩이를 가만히 내려보면 나와 같은 모습을 한 사람이 보인다. 손을 흔들어 젖은 몸을 맞이한다. 나를 온전히 이해할 수 있는 또 다른 나를 만날 수 있을까. 비웃듯 하늘에서는 비를 퍼붓는다. 수면이 흔들리며 모습이 일그러진다.

나는드디어거울속의나에게자살을권유하기로결심하였다. 나는그에게시야도없는들창을가리키었다. 그들창은자살만을위한들창이다. 그러나내가자살하지아니하면그가자살할수없음을그는내게가르친다. 거울속의나는불사조에가깝다.

-이상「烏瞰圖」

나는 나조차 제대로 알지 못해서 서로를 이해하는 우리가 만나는 날에는 장마가 그치지 않는다. 온몸이 잠긴 채로 발걸음을 멈추지 못하고

걸어서

서울

다시 서울이다. 땀에 젖은 지도를 펼쳐 본다. 차마 갈 수 없었던 다리를 긋는다. 숲이었을 탑에게 작별 인사를 남긴다. 지도의 부동不凍성을 따라 끝없이 움직인다. 단어를 늘어놓는 구석의 억양이 기억나지 않아 다시금 이불을 덮어 본다. 마지막으로 펜을 들고 서울 모퉁이의 좁은 방 안에 갇힌 서로를 그린다. 길게 뻗어 이어지는 발자국이 꺾이며

하나의 공간을 만든다. 걸음을 멈추지 않으면 영원히 빠져나갈 수가 없어서 우리는 같은 자리를 맴돈다. 수없이 나를 스쳐 간 어떤 이들을 떠올린다. 너무나 다른 그들과 같은 방향으로 걸으며 영원히 마주치지 못할 것이다. 나는 아직도 지도엔 없는 곳을 가려고 길을

걷는다

눈길 ; 숨바꼭질

발 행 | 2024년 1월 15일
저 자 | 눈길
펴낸이 | 한건희
펴낸곳 | 주식회사 부크크
출판사등록 | 2014.07.15.(제2014-16호)
주 소 | 서울특별시 금천구 가산디지털1로 119 SK트윈타워 A동 305호
전 화 | 1670-8316
이메일 | info@bookk.co.kr

ISBN | 979-11-410-6681-9

www.bookk.co.kr